Hobbel, Karel en Co

Liesbeth Jongkind

Hobbel, Karel en Co

Amsterdam Antwerpen
Em. Querido's Uitgeverij B.V.
2004

www.queridokind.nl

ISBN 90 451 0075 4 / NUR 283

Voor jou
Voor jullie
Voor ons

Inhoud

Onze moeder probeert het huis op te ruimen

Het was grote vakantie en ik zat op de wc mijn laatste bibliotheekboek uit te lezen. Op de wc duurt het het langst voor er iemand komt vragen of je meedoet met verstoppertje of wanneer je eindelijk eens je rommel opruimt.

Buiten regende het. Dat deed het al de hele vakantie. Karel speelde verstoppertje met Hobbel, onze moeder probeerde het huis op te ruimen en ik las. Dat deden we al de hele ochtend.

Iedereen was al op vakantie behalve wij. Zelfs de kinderen met wie we alleen spelen als alle andere kinderen uit de flat op vakantie zijn waren op vakantie. Zelfs de bibliotheek was dicht.

Net toen onze moeder riep dat degene die met de knopendoos gespeeld had die NU OGENBLIKKELIJK moest opruimen, had ik mijn boek uit. Nu had ik niks meer om te lezen. De vijf bibliotheekboeken die je extra mocht lenen omdat de bieb in de vakantie dicht was had ik al uit. En die had ik nog wel willen bewaren voor in het Zuiden. Of in ieder geval voor onderweg ernaartoe. Nu moest ik iets anders verzinnen om te doen. De knopendoos opruimen of zo. Daar hadden Hobbel en ik mee gespeeld toen Karel nog geen verstoppertje met Hobbel wilde spelen. Maar eigenlijk vond ik dat Hobbel dat maar moest doen. Ik had het ook zo vaak gedaan toen ik zelf klein was.

Vroeger was de knopendoos van mij, daarna van Karel en nu van Hobbel. En daarvoor was hij van onze moeder, maar dat is al heel langgeleden natuurlijk. Het is een oude schoenendoos vol knopen van kleren die allang niet meer bestaan. Grote zwarte knopen die van iemands warme winterjas geweest zijn, blauwe knopen met roze bloemetjes erop die op een jurkje zaten dat onze moeder aanhad toen zij nog een meisje was, en kleine witte overhemdknoopjes. Vast van een heel mooi overhemd want ze zijn niet gewoon wit, maar ook een beetje zilverig en roze en lichtgroen. Parelmoer heet dat, zegt onze moeder. Dat overhemd was van háár vader. Onze vader draagt nooit overhemden. 'Jullie moeder wil ze niet strijken en ik kan het niet,' zegt hij.

Als je met de knopendoos speelt moet je hem omkiepe-ren op tafel en dan alle knopen die hetzelfde zijn bij elkaar leggen. Dat is best leuk om te doen als je klein bent en nog niet kunt lezen.

Alleen zitten er zóveel knopen in de knopendoos dat je het nooit af krijgt voor het eten klaar is. En dan moeten de knopen van tafel, want dan wil onze moeder de borden erop zetten.

Op de grond spelen met de knopendoos mag niet van onze moeder. 'Ik weet precies hoe dat gaat,' zegt ze als je dat vraagt, 'dan liggen er straks knopen door het hele huis. En wie kan die dan weer opruimen?'

Dus als het eten bijna klaar is schuift ze hoeps alle knopen weer in de doos. Dan moet je de volgende keer weer opnieuw beginnen.

Ik wachtte met van de wc afkomen tot ik iemand met de knopendoos hoorde rammelen. Toen ging ik op zoek naar de prentenboeken die onze moeder voor Hobbel van de bieb geleend had, want de biebboeken van Karel had ik ook al uit. Maar ik kon ze op zijn kamer nergens vinden en ik durfde onze moeder niet te vragen waar ze ze had opgeruimd. Onze moeder wordt namelijk nogal kribbig van opruimen. En ze wordt nog kribbiger van rommel. Onze vader houdt ook niet van rommel, maar die wordt er nooit kribbig van.

'Ach, dat komt heus wel in orde,' zegt hij altijd. En dat is ook zo. Daar zorgt onze moeder namelijk voor. Dat kan ze erg vlug, vooral als niemand haar voor de voeten loopt.

Toen ik de huiskamer binnenkwam stond Karel met stijf dichtgeknepen ogen hardop te tellen. Onze moeder zat op de grond het snoer van de stofzuiger uit de knoop te halen.

'Zo, ben jij daar ook weer eens,' zei ze tegen mij. 'Zoek je iets of zo?'

'Hobbels biebboeken' zei ik.

'Honderd zesenzeventig. Honderd zevenenzeventig. Honderd achtenzeventig,' zei Karel. 'Achter de bank op de grond. Honderd negenenzeventig.'

Ik keek achter de bank op de grond. Ja, daar lagen Hobbels biebboeken. En het zilveren armbandje met *Carolina* erop, dat Karel van onze moeder gekregen heeft voor het diplomazwemmen. En de nieuwe jas van onze vader, maar dan binnenstebuiten en met iets groots eronder dat zachtjes snurkte. Het is een hele mooie jas, maar onze vader heeft hem nooit aan. Onze moeder heeft hem gekocht omdat ze vond dat zijn oude jas op was, maar onze vader moet er nog een beetje aan wennen. 'Ik had die andere al zo lang,' zegt hij steeds als ze vraagt wanneer hij hem nou eens aantrekt. 'En deze ziet er nog zo nieuw uit.'

'Dat is wel vaker zo met nieuwe kleren,' zegt onze moeder dan.

'Maar hij ruikt ook nog zo nieuw.'

'Dat komt omdat je hem nooit draagt.'

'Ik bewaar hem voor de vakantie,' zegt onze vader.

Deze vakantie zouden we twee dingen gaan doen die we nog nooit eerder gedaan hadden: we zouden drie weken naar het Zuiden gaan en we zouden al onze kleren meenemen. Anders gaan we altijd naar Limburg. Dat ligt ook in het zuiden, maar dan noordelijker. Maar deze keer had onze vader in de krant een advertentie gezien voor een huisje bovenop een berg in het Zuiden. En onze moeder had gezegd dat zij ook vakantie had, en dat ze pas weer iets ging wassen als we terug waren.

'Het heet Le Paradis, het uitzicht is fantastisch en het is spotgoedkoop,' zei onze vader.

'Dan zal het wel een piepklein paradijsje zijn,' zei onze moeder.

'Zespersoons zomerhuis met open haard, eetkeuken, terras en badkamer met douche en toilet,' las onze vader voor uit de krant. 'Een terras! Daar kunnen wij 's avonds heerlijk samen op zitten, schat.'

'Dan zal er wel iets anders aan mankeren,' zei onze moeder.

'Dat merken we dan wel als we er zijn,' zei onze vader.

We hadden eigenlijk allang in het Zuiden zullen zijn, maar onze vader wilde nog niet weg.

'Ik kán nog niet weg!' riep hij elke avond tegen onze moeder als wij in bed lagen en ze dachten dat we allang sliepen. Karel sliep inderdaad, die slaapt zodra het licht uitgaat, maar ik lig altijd nog een tijdje na te denken over wat er die dag gebeurd is en te luisteren naar onze ouders.

'Ik moet hier blijven tot de eieren uitgekomen zijn, tot ik met eigen ogen gezien heb dat alles goed is! Daarna kunnen we direct vertrekken wat mij betreft.'

'Kan er dan NIEMAND anders op die eieren van jou passen?!' schreeuwde onze moeder terug. 'Het lijkt verdorie wel alsof je ze zelf gelegd hebt! Die beesten komen er ook wel uit als jij er niet naar kijkt, hoor!'

'Zeg jij maar niks,' zei onze vader en daarna begonnen ze weer gewoon over Hobbel. Ze maken heel vaak ruzie over Hobbel als wij al in bed liggen, maar dat is zo saai dat ik er meestal snel van in slaap val.

Terwijl onze vader wachtte tot zijn eieren uitkwamen, ruimde onze moeder het huis vast op. 'Dan kunnen we tenminste inderdaad op vakantie als jullie vader zover is,' zei ze.

Maar ze werd er wel kribbig van, omdat het steeds opnieuw rommel werd. 'Als het droog wordt gaan jullie naar buiten,' zei ze alsmaar. Maar het werd niet droog.

Ik deed echt mijn best om haar niet voor de voeten te lopen. Juist toen ik achter de bank gekropen was om een prentenboek uit te kiezen, begon onze moeder zomaar ineens tegen me te schreeuwen. Dat ik daar weg moest, schreeuwde ze, want dat ze er NU bij wilde met de stofzuiger. 'Ga je alsjeblieft ergens anders vervelen!' schreeuwde ze ook nog.

Als onze moeder zo kribbig wordt dat ze ervan gaat schreeuwen moet je niks terugzeggen, precies doen wat ze zegt en je er verder niks van aantrekken. 'Het was niet zo bedoeld, hoor,' zegt ze later altijd. 'Let maar niet op mij, ik doe soms een beetje gek.' En dan knuffelt ze je net iets te hard. Maar het is heel lastig om niet op mensen te letten die een beetje gek doen. Vooral als ze er zo hard bij schreeuwen.

'Ik verveel me helemaal niet,' zei ik, maar ze was nog niet helemaal uitgeschreeuwd. Dat zíj zich ook niet verveelde, schreeuwde ze toen ze even ademgehaald had, want dat zíj het druk genoeg had met het huis schoonmaken en kleren wassen! En dat wij ook wel wisten dat onze vader dag en nacht op het Lab zat en dat wij ook wel konden bedenken op wie de voorbereiding van de vakantie zoals gewoonlijk weer eens neerkwam. 'Op MIJ dus!' schreeuwde ze. Allemaal keihard boven de stofzuiger uit. Daarna begon ze onder de bank te stofzuigen.

Het Lab, dat is waar onze vader werkt. Het is een wit gebouw met oranje zonneschermen en een hoog hek eromheen. Aan dat hek hangt een bord met *Laboratorium voor Hersenonderzoek* erop, maar wij zeggen altijd Lab, dat is korter.

Hersenonderzoek is denk ik een soort gedachtelezen bij dieren. Die hebben namelijk ook hersens. Daar merk je niet zoveel van, omdat ze niet kunnen praten, maar dat zegt eigenlijk niets. Als je niet kunt vertellen wat je denkt, kun je toch nog best van alles denken. Misschien denkt Hobbel ook wel van alles.

'Die gaat op een dag vanzelf praten, zeker weten,' zegt onze vader altijd als onze moeder zegt dat ze zich zo'n zorgen maakt en dat ze er niet meer in gelooft.

'Geloof dan maar in mij,' zegt hij dan. 'Dat been van hem is te kort, maar met zijn koppetje is niks mis. Onze Hobbel gaat pas praten als hij er zelf aan toe is. Over een poosje kletst hij je de oren van het hoofd. En dan ga je daar weer over zeuren.'

Als onze moeder zich zorgen maakt vindt onze vader dat ze zeurt. 'Maar dat geeft niks, ze bedoelt het goed,' zegt hij. 'Ze zeurt zo omdat ze van jullie houdt.' Onze vader houdt natuurlijk ook wel van ons, maar die heeft het meestal te druk om te zeuren. Die moet altijd naar het Lab. Wij zijn nog nooit in het Lab geweest. Zelfs nog nooit binnen het hek. Soms, als onze vader zó lang op het Lab blijft dat onze moeder er kribbig van wordt, stopt ze ons allemaal in de auto en gaat hem ophalen. Maar dan parkeert ze altijd buiten het hek. Daar blijft ze dan net zo lang staan toeteren tot hij naar buiten komt rennen. Hersenonderzoek is niks voor kinderen, vindt onze moeder.

Omdat het zijn schuld was dat we nog niet op vakantie waren, zou onze vader een karretje kopen om aan de auto te hangen. Zodra de eieren uitgekomen waren. Dat vonden Karel en ik een heel goed idee. Als we zo'n karretje hadden hoefden we niet helemaal naar het Zuiden te rijden met onze voeten op de tassen met de kleren. En weer terug.

'Dit jaar gaat alles in het aanhangwagentje,' zei onze vader. 'Nou ja, alles behalve Oude Simon dan. Die mag bij Co op schoot.'

Oude Simon is onze kat. En Co, dat ben ik dus. Ik heet eigenlijk Jacobina, maar dat zegt gelukkig haast nooit iemand. Ik ben de oudste van ons drieën en de voorzichtigste.

Hobbel is de jongste en de vieste. Dat komt van al het vallen en omdat hij nooit zijn handen wast voor hij in zijn neus peutert. En erna trouwens ook niet. Hobbel heet natuurlijk niet echt zo, maar zo noemt iedereen hem altijd.

Karel is de middelste. Karel durft het meest en kan er het onschuldigst bij kijken. Karel heet eigenlijk Carolina, maar die luistert daar gewoon niet naar.

Oude Simon is eigenlijk de kat van onze vader. Hij heeft hem al heel lang, al van voordat hij ons had. Zelfs al van voordat hij onze moeder had. Als onze vader Oude Simon aankijkt en 'hiep hiep' zegt, zegt Oude Simon 'hoeraaaa' terug. Het klinkt heel droevig, want als hij miauwt maakt Oude Simon altijd een heel zielig geluid. Maar onze vader zegt dat hij dat ook al deed toen hij nog jong was. Oude

Simon wordt een beetje kaal op zijn rug en als hij loopt gaat dat heel langzaam, op hoge stijve poten. Maar meestal ligt hij gewoon ergens te slapen.

'Sommige mensen laten hun kat thuis als ze op vakantie gaan,' zegt onze moeder elk jaar. 'Die vragen aan de buren of ze voor hem willen zorgen.'

Maar dat vindt onze vader niet zo'n goed idee.

'Oude Simon is veel te oud om alleen thuis te blijven,' zegt hij. 'Stel je voor dat hij ons zó erg mist dat hij doodgaat van verdriet!'

Dit was de eerste keer dat Oude Simon zo ver van huis ging. Ikzelf vond Limburg eigenlijk al ver genoeg om naartoe te rijden op dezelfde achterbank als Karel, Hobbel en Oude Simon. Ik moet altijd in het midden omdat ik de langste benen heb. Aan de ene kant hangt Karel tegen me aan, want die valt in slaap zodra we gaan rijden. En aan de andere kant zit Hobbel Oude Simon te aaien of mij te stompen als ik hem niet voor wil lezen.

Vroeger, toen Hobbel er nog niet was, was ik in de vakanties altijd bang dat Oude Simon weg zou lopen en dat we dan aan het eind van de vakantie naar huis zouden gaan zonder hem. En dat hij dan dat hele eind terug zou moeten lopen, helemaal vanuit Limburg. Maar nu ben ik daar niet bang meer voor, nu is Oude Simon zo oud dat hij helemaal niet meer kán weglopen. Hij is zo oud dat hij bijna niks meer kan. Niet op smalle randjes lopen, niet op hoge dingen springen of ervan af, geen muizen meer vangen, of vogeltjes. Ik geloof dat hij dat ook allemaal niet meer wil. Ik denk dat hij alleen nog maar wil slapen. Het liefst op een zacht, rustig plekje. Bijvoorbeeld onder Karels bed, op de jurken die onze moeder maar blijft kopen, ook al draagt Karel ze nooit. Of achter de bank, op de nieuwe jas van onze vader. Of in de hobbelkar op onze vuile kleren.

De hobbelkar is de kar waar we Hobbel in zetten als we sneller willen lopen dan hij kan bijhouden. Onze vader heeft hem zelf getimmerd, toen hij een paar dagen vrij had omdat er brand was geweest in het Lab. We gebruiken de hobbelkar ook vaak als wasmand, of om lege flessen mee naar de glasbak te brengen.

Ineens klonk er een ratelend geluid uit de slang van de stofzuiger. Onze moeder had iets hards opgezogen. 'Wat was dat nu weer?' schreeuwde ze en zette de stofzuiger uit. 'En waar is Hobbel toch in vredesnaam!'

'Misschien een knoop?' zei ik.

'Honderd achtennegentig. Honderd negenennegentig. Tweehonderd! Ik kom!' zei Karel en deed haar ogen open. 'Hobbel ligt achter de bank op de grond. Onder pappa's nieuwe jas. Volgens mij is hij in slaap gevallen.'

Toen zette onze moeder de stofzuiger uit en haar handen in haar zij. 'Wat. Een. Vreemde. Plek. Om. In. Slaap. Te. Vallen,' zei ze.

Karel en ik keken elkaar snel aan. Als onze moeder ineens heel kalm en rustig wordt, dan moet je uitkijken. Dan is ze niet gewoon kribbig meer, dan is ze kwaad.

'We spelen verstoppertje,' zei Karel snel. 'Hobbel en ik. Hobbel heeft zich verstopt. Maar misschien duurde het tellen een beetje te lang voor hem.'

Ik denk dat onze moeder toen vond dat wij haar genoeg voor de voeten hadden gelopen, want ze deed zomaar ineens de voordeur open, duwde Karel en mij zonder jas naar buiten, de galerij op, en sloeg de deur achter ons dicht.

Karel en ik richten een geheime club op

De flat waarin wij wonen is de Eerste Flat. Vroeger was de Eerste Flat de enige flat, maar ze bouwen er de hele tijd nieuwe flats bij. Die andere flats zien er precies zo uit als de onze: negen etages bovenop elkaar, allemaal met een galerij erlangs.

Wij wonen op de eerste etage en onze galerij ziet er precies zo uit als de andere acht. Naast elke regenpijp zit een voordeur en naast elke voordeur zit een keukenraam. Overal zitten de voordeuren, de keukenramen en de regenpijpen op precies dezelfde plek. Alleen de matjes die voor de voordeuren liggen zijn verschillend. Daaraan kun je zien of je wel op de goede etage uit de lift gestapt bent.

Bij onze voordeur ligt een ijzeren roostertje waarop we van onze moeder de modder van onze laarzen moeten schrapen voor we naar binnen mogen. De buren links hebben een mat waar WELKOM op staat, de buren rechts hebben een zwart rubberen matje met gaten erin en een dweil eronder.

De vloer van onze galerij is gemaakt van betonplaten met strookjes teer ertussen. Als de zon schijnt kun je het teer ruiken, vooral als je eraan peutert. Aan het teer peuteren mag niet van onze moeder. 'Dan komt het in je kleren en dan krijg ik het er nooit meer uit,' zegt ze altijd.

Bovenop is het teer grijs en kreukelig en zit het vol vastgeplakt zand en stof en oude pluisjes. Als je er zachtjes met je vinger overheen wrijft dan is het net alsof je een smal reepje olifant aait. Je kunt er ook met je nagel in duwen. Dan kom je bij het zwart. Als je flink doorwroet kun je wel een kootje diep komen. Wanneer je naast de regenpijp zit kan onze moeder je net niet zien uit het keukenraam.

Karel en ik gingen naast de regenpijp zitten en peuterden aan het teer.

Ineens ging de voordeur weer open. Ik trok snel mijn vinger uit het teer. Onze moeder kwam naar buiten stuiven, met Karels armbandje, dat nu vol stof zat, in haar hand. 'Kijk eens wat ik in de stofzak gevonden heb, Carolina,' zei ze. 'Ik wist helemaal niet dat je het kwijt was! Doe het maar weer snel om!'

'Ik ook niet,' zei Karel. Karel kan heel goed liegen.

Pas toen onze moeder met eigen ogen gezien had hoe Karel het veiligheidsslotje vastmaakte, ging ze weer naar binnen. Net toen ik verder wilde gaan peuteren kwam ze weer terug, nu met onze regenjassen. 'Gaan jullie maar een uurtje buiten spelen,' zei ze. 'Ik geloof dat het wat droger wordt.'

We trokken onze jassen aan. 'Zullen we iets gaan dóén?' vroeg Karel. Karel vindt op de galerij zitten en aan het teer peuteren saai. Karel wil altijd iets spannends doen, op iets hoogs klimmen en er dan weer van afspringen of zo. Ik houd zelf meer van lezen. Maar alle boeken lagen binnen en ik durfde niet aan te bellen nu onze moeder zo kribbig was. Bovendien had ik ze al uit.

'Laten we een geheime club oprichten,' zei ik. Daar had ik namelijk net vijf boeken over gelezen.

'Wat gaan we dan dóén met die geheime club?' vroeg Karel. Ik probeerde iets te verzinnen wat Karel spannend zou vinden. In die boeken beleven de kinderen van zo'n club altijd vanzelf een avontuur. Ze drukken per ongeluk op het knopje waarmee een geheime gang opengaat, of ze vangen ineens een juwelendief of zo. Maar bij ons in de flat gebeurt zoiets nooit.

'Daarover gaan we vergaderen in ons geheime clubhuis,' zei ik.

Ik liep naar het trappenhuis. Daar was het warmer en daar kon onze moeder ons niet horen als ze weer ineens naar buiten kwam. In een hoek van het trappenhuis staat een laag muurtje. Als je daarachter op de grond gaat zitten ziet niemand je. Het stinkt er wel een beetje, want daar zit de vuilstortkoker, maar verder is het een goede plek voor geheime vergaderingen. Er komt haast nooit iemand. De stortkoker is namelijk bijna altijd stuk. Onze moeder zegt dat dat komt doordat bepaalde mensen hun vuilniszakken veel te vol proppen, zodat ze ergens onderweg blijven steken, en dat meneer Visser te beroerd is om daar iets aan te doen. Nu moet iedereen zelf het vuilnis naar beneden brengen, naar het hok onder de stortkoker waar de container staat.

Meneer Visser is de huismeester van onze flat. Hij moet alles repareren wat kapot is, zoals de vuilstortkoker. Maar daar komt hij meestal niet aan toe. Hij heeft het veel te druk met kinderen wegjagen die ergens aan het spelen zijn waar dat van hem niet mag.

'En nu?' vroeg Karel toen we op de grond achter het muurtje bij de vuilstortkoker zaten.

'Eerst moeten we een geheim wachtwoord verzinnen,' zei ik.

'Waar is dat dan voor?' vroeg Karel.

'Dat mogen alleen de mensen weten die lid van onze club zijn. Dat zeggen we als we gaan vergaderen.'

Het duurde een hele tijd voor we een goed wachtwoord hadden. Het moest niet te gemakkelijk zijn, want dan konden mensen die niet in de club zaten het raden. Maar ook niet te moeilijk, want dan vergat Karel het misschien. Ik wilde 'hersenonderzoek' en Karel wilde 'knopendoos' en toen we klaar waren met ruziemaken namen we 'krokodil'.

'Krokodil' zei Karel. 'En wat gaan we nou dóén, Co?'

'Krokodil,' zei ik. 'Verdachte personen observeren, Karel!'

Dat doen ze in die clubs in die boeken namelijk ook altijd. Alleen is zo'n verdachte persoon daar een vreemdeling die op een dag zomaar in het dorp rondloopt, en bij ons wonen de verdachte personen gewoon in onze flat. Ze heten Mike en Eddie en ze wonen op de negende verdieping, samen met hun moeder. Mike is groter en Eddie is gemener, maar verder lijken ze erg op elkaar. Ze hebben allebei een brommer die stinkt en herrie maakt, ze rijden allebei zonder helm, ze draaien allebei je ventiel uit je fiets als je die 's nachts buiten laat staan en ze roken allebei in de lift.

De moeder van Mike en Eddie heeft ook twee honden. Die heten Whisky en Sherry. Whisky is zo'n grote zwarte met krulhaar. Sherry is klein en dik, hij heeft wit haar waar je het roze van zijn vel doorheen kunt zien, kromme pootjes, valse kleine oogjes en een krulstaart. Daarom noemen wij Sherry de varkenshond. Whisky is enger, maar de varkenshond vinden wij het viest. Als Mike en Eddie van hun moeder de honden moeten uitlaten, doen ze net alsof de varkenshond er niet bij hoort.

Om Mike en Eddie te kunnen observeren gingen we voor het raam van het trappenhuis staan en keken naar beneden, naar het voetbalveldje waarop je niet kunt skippyballen omdat zij er altijd de honden op uitlaten. Er was niemand.

'Laten we naar beneden gaan,' zei Karel 'Volgens mij is

het droog. Misschien komen ze dadelijk wel.'

Het voetbalveldje is niet zo groot. Er staat maar één doel op. Onder het wachten klom Karel in de linker doelpaal en toen ik gekeken had hoe dat moest klom ik in de rechter. Het ging minder makkelijk dan het eruitzag. Dat is altijd zo bij de dingen die Karel doet. Als ik ze dan probeer blijkt dat je er ook bij kunt struikelen of vallen of dat je er eigenlijk best sterk voor moet zijn. En misschien was Karels doelpaal droger dan de mijne.

Toen ik ook boven was slingerden we aan onze armen naar elkaar toe, langs de lat. In het midden probeerde ik om Karel heen te slingeren, maar daar ging het doel steeds erger van wiebelen en ineens viel het om. Ik probeerde het weer overeind te krijgen, maar dat lukte niet, zelfs niet toen Karel meehielp.

'Krokodil. Ik geloof niet dat Mike en Eddie nog komen,' zei Karel.

'Misschien zijn alle verdachte personen ook wel op vakantie,' zei ik.

'Wat doet zo'n club nog meer?' vroeg Karel.

Ik dacht na. 'We kunnen wel op verkenning gaan. Dat doen ze in die boeken ook altijd. Op plekken waar ze eigenlijk niet mogen komen.'

'Laten we dan maar naar de bouw gaan,' zei Karel.

De bouw begint een eindje achter het voetbalveld. Daar bouwen ze de nieuwe flats. Je kunt er heel leuk spelen: pijpenkoppen zoeken, op de steigers klimmen en fikkies stoken. Eigenlijk mogen we niet op de bouw komen van onze moeder, want je kunt er ook van een steiger vallen en je nek breken, of wegzakken in het drijfzand, of overreden worden als een ander kind de bulldozers aanzet. Maar je kunt niet zo heel goed zien waar de rest ophoudt en de bouw begint, omdat er niet overal een hek omheen staat. En wij zijn altijd heel voorzichtig op de bouw. Als er niets gebeurt komt onze moeder er namelijk ook niet achter.

Maar deze keer was er niet zo heel veel aan. De mannen van de bouw waren allemaal met vakantie, alle bulldozers stonden uit, de steigers waren te glibberig om er lekker in te kunnen klimmen en het hout dat er lag was te nat voor een fikkie. Er waren zelfs geen pijpenkoppen, maar Karel vond wel een mes dat nog een klein beetje scherp was, en ik vond een stuk ijzerdraad dat je kon gebruiken om voordeuren mee open te maken als je niet durfde aan te bellen.

'Krokodil. Wat zullen we nu doen?' vroeg Karel.

'Ik heb honger. Zouden we al naar binnen mogen?' vroeg ik.

'Misschien als we kattenstaarten meenemen,' zei Karel.

'Krokodil. Laten we naar het moeras gaan.'

Kattenstaarten zijn van die bruine sigaren die aan het riet in het moeras groeien. Onze moeder vindt ze heel mooi, ik denk omdat ze geen water nodig hebben als je ze in een vaas zet. Heel veel kinderen uit de flat plukken kattenstaarten voor hun moeder.

Het moeras begint een eindje achter de bouw. Het staat vol met riet dat zo hoog is dat onze vader er maar net overheen kan kijken. Tussen het riet door lopen allemaal kleine kronkelpaadjes. 'Als je daar vanaf gaat, zak je tot je nek in de modder,' heeft onze vader gezegd toen hij een keer niet naar het Lab hoefde. Wij mogen van onze moeder niet in het moeras komen zonder dat onze vader erbij is, maar die heeft daar bijna nooit tijd voor.

Karel ging voorop. De kattenstaarten langs de paadjes waren allemaal al op. Karel duwde het riet plat en maakte een nieuw paadje. Toen ik zag dat je maar een heel klein eindje wegzakte, durfde ik er ook op. Karel sneed drie kattenstaarten af, daarna deed het mes het niet meer. Daarom moesten we ook nog even naar het spoor, daar staan de mooiste bloemen. Bij het spoor mogen we ook niet spelen van onze moeder, want als er een trein langskomt kun je meegezogen worden. Maar dan gaan wij altijd gewoon een eindje achteruit. De allermooiste bloemen staan aan de overkant van het spoor. Dat we daar niet mogen komen heeft onze moeder nooit gezegd.

Net toen het weer begon te regenen vond Karel dat we genoeg bloemen hadden en gingen we naar huis.

Maar eerst moesten we de deurmatjes nog doen. Dat doen Karel en ik altijd als we over de galerij naar huis lopen: tussen de spijlen van het hek van de galerij door alle deurmatjes naar beneden gooien. We kunnen het al heel goed. In het begin ging het veel langzamer, maar toen keken we ze ook nog na. Om te zien of er niemand beneden liep en hoe ze neerkwamen. Nu weten we wel hoe dat eruitziet en luisteren we alleen nog maar naar het geluid. PLOF! Of FLOP! als het een erg slap matje is. Of BENG! als het een ijzeren roostertje is. Alleen ons eigen roostertje laten we liggen. Als we dat ook naar beneden zouden gooien, zou onze moeder het meteen merken.

Toen we klaar waren met de deurmatjes belde Karel aan. Onze moeder deed open en keek meteen naar onze laarzen. We schraapten ze nog eens extra goed af.

'Blijven jullie maar buiten,' zei ze. 'Ik heb al meeneembrood voor jullie gesmeerd. En Hobbel is weer wakker, dus die gaat gezellig met jullie mee.'

Karel gaf haar de bloemen nog, maar ze hielpen niet. 'Nou, prachtig hoor,' zei ze. 'Ik zet ze wel in een vaas als ik klaar ben met de was.'

Toen duwde ze de hobbelkar naar buiten met een grote stapel boterhammen en Hobbel erin, en deed de deur weer hartstikke dicht.

Hobbel mag ook lid worden

We duwden de hobbelkar naar ons geheime clubhuis en keken wat er op de boterhammen zat. Die met pindakaas gooiden we in de stortkoker.

'Krokodil,' zei Karel toen de boterhammen met hagelslag op waren. 'Mag Hobbel ook in onze geheime club?'

Daar moest ik even over nadenken. Hobbel was druk bezig de gemorste hagelslagjes op grootte te sorteren. Misschien wist hij niet eens wat een club was. Of een krokodil.

We moeten Hobbel haast altijd meenemen als we buiten gaan spelen. 'Als hij de hele dag binnen zit wordt hij nooit groot en sterk,' zegt onze moeder. Maar volgens mij zegt ze dat omdat ze beter kan opruimen zonder Hobbel erbij. Ik geloof er namelijk niks van dat je van buiten spelen groot en sterk wordt. Op vijf hoog woont een jongetje dat net zo oud is als Hobbel en die speelt veel minder vaak buiten maar die is veel groter en veel sterker en die kan wel lopen. Hobbel wordt hoogstens vies van buiten spelen. Die gaat altijd zomaar ergens zitten in plaats van eerst te kijken of er modder ligt. 'Dat komt omdat hij heel snel moeie benen krijgt,' zegt onze moeder. 'Daar kan hij niks aan doen.'

Onze moeder tilt Hobbel altijd op als hij moeie benen krijgt en dan draagt ze hem de rest van de weg. Wij laten hem gewoon zitten tot zijn benen uitgerust zijn. Of we tillen hem op en zetten hem in de hobbelkar, wanneer we geen tijd hebben om zolang te wachten.

'Krokodil,' zei ik. 'Vooruit dan maar. Hij kan in ieder geval het wachtwoord niet verraden.'

Dat jongetje van de vijfde kan al wel praten. Die zou van mij dus nooit in onze club mogen.

We keken eerst een tijdje uit het raam naar het voetbalveldje, maar Mike en Eddie waren er nog steeds niet. En zelfs Karel vond dat het nu te hard regende om op verkenning naar de bouw of het moeras te gaan. Op verkenning gaan in de flat was een beetje moeilijk. Daar zijn eigenlijk geen plekken waar we niet mogen komen. Maar er zijn wel dingen waar we niet mee mogen spelen. Twee dingen zelfs: de lift en de belletjes.

'Krokodil. Laten we met de lift naar de belletjes gaan,' zei Karel.

Dus dat deden we. Hobbel zei niks maar at nog snel even de gemorste hagelslag op.

Karel drukte op het knopje en ik keek door het draadglas van het ronde raampje in de liftdeur naar de kabels. Ze zwaaiden zachtjes heen en weer in het donker van de schacht. Dat betekende dat de lift eraan kwam.

Wij mogen van onze moeder alleen met de lift als er grote mensen bij zijn en dan nog moeten we altijd helemaal achterin de lift gaan staan. Ze is bang dat we anders tussen de deur komen met onze sjaal, of met onze jas, of met onze haren.

Ook als er geen grote mensen bij zijn gaan we trouwens helemaal achterin staan. Dat komt door een meisje dat bij Karel in de klas zit. Dat meisje had een hond, vroeger. En ze ging een keer alleen met de lift. Nou ja, samen met die hond dan. En die hond stond niet helemaal achterin. En toen is zijn riem tussen de liftdeur gekomen. En toen ging de lift omhoog. En toen is die hond gestikt.

Maar dat meisje was toen veel kleiner dan wij nu. Ze was zelfs nog te klein om bij het zwarte knopje te kunnen. Als je daar heel snel op drukt als je ergens mee tussen de deur komt, staat de lift meteen stil. Dat staat er trouwens ook onder: NOODREM. Maar dat meisje kon toen nog niet lezen.

Er zitten ook witte knopjes in de lift, daar staan de nummers van de etages op. Als je daarop drukt gaat er een lichtje branden in het knopje en dan stopt de lift op die verdieping. Je kunt ook op alle witte knopjes tegelijk drukken, dan stopt de lift overal. Dat doen wij altijd vlak voordat we uitstappen, maar alleen als er geen grote mensen bij zijn natuurlijk.

Er is ook een rood knopje met een soort kerstklokje erop. Als je daarop drukt gaat er een toeter die je in de hele flat kunt horen en dan komt meneer Visser kijken of er iemand in de lift vastzit die bevrijd moet worden, of dat het kinderen zijn die op het rode knopje drukken en weggejaagd moeten worden.

En er is een lampje waar BUITEN DIENST op staat. Als dat brandt is de lift stuk. Vroeger dacht ik dat dat betekende dat de lift buiten dienstdeed, in een hijskraan op de bouw of zo, om de hijskraanmachinist naar dat glazen hokje te brengen dat bovenop zit.

Toen de lift kwam duwde Karel de hobbelkar met Hobbel erin naar binnen en ik drukte op het knopje met BG erop. BG betekent Begane Grond en Begane Grond betekent beneden. Daar is de hal van onze flat. Daar zitten de belletjes. Vlak voor we uitstapten op Begane Grond drukten we nog even op alle witte knopjes tegelijk. Toen liepen we naar de belletjes.

Op het bord met de belletjes zitten negen rijen naambordjes met belletjes ernaast en een luidspreker erboven. Door die luidspreker kun je praten met de mensen van wie de belletjes zijn. Karel en ik drukten snel één voor één op alle belletjes. Hobbel mocht de onderste rij doen, behalve ons eigen belletje, dat slaan we altijd over.

Daarna waren we heel stil.

Na een poosje kwam er een stem uit een van de luidsprekers.

'Hallo?'

Wij zeiden niks terug.

Toen kwam er een andere stem bij die 'Wie is daar?' zei.

'Het zijn die teringkinderen!' riep een derde stem.

'Hé, hallo!' riep de eerste stem weer.

Nu riep Karel met een rare, zware stem: 'De melkboer!'

Daarna kwamen er nog meer stemmen bij.

'O, de melkboer!' zei er één.

'Melkboer? Volgens mij zijn het die teringkinderen!' zei dezelfde stem als daarnet.

'Ik kom eraan, melkboer!' zei een andere.

'Hé, melkboer, bent u nou al terug van vakantie?' vroeg iemand.

Het gesprek met de melkboer ging nog een poosje zo door en toen werd het weer stil.

Daarna gingen we in het hok van de vuilcontainer staan wachten tot er allemaal mensen met lege flessen uit de lift kwamen. Het duurde een hele tijd voor de eersten kwamen, omdat we net op alle liftknopjes gedrukt hadden. Eerst waren ze heel verbaasd en daarna werden ze boos en stapten ze weer in de lift.

'Krokodil. Wat zullen we nu gaan doen?' zei Karel.

Het regende nog steeds en ik had ook nog steeds honger.

‘Laten we kijken of we al naar binnen mogen,’ zei ik.

‘We zeggen gewoon dat Hobbel naar de wc moet,’ zei Karel.

Het duurde zo lang tot de lift kwam, dat we net wilden gaan proberen of je de hobbelkar de trap op kon duwen zonder dat Hobbel eruit viel. Maar toen rende onze vader de hal van de flat binnen.

‘Dat komt goed uit!’ riep hij. ‘Wacht op mij, niet weggaan! Ik ga jullie moeder halen, iedereen moet mee naar het Lab! Mijn eieren zijn aan het uitkomen!!’

Op verkenning in het Lab

Onze vader kwam even later alleen terug, want onze moeder wilde niet mee.

'Ze zegt dat ze nog niet klaar is met de was,' zei onze vader. 'Maar jullie mochten wel mee. Voor deze ene keer, zei ze.'

Onze vader parkeerde binnen het hek. Er stonden bijna geen andere auto's. Voor we naar binnen mochten moesten we van alles beloven.

Dat we niet door de gangen zouden rennen. 'Eigenlijk mogen hier helemaal geen kinderen komen,' zei onze vader.

Dat we geen lawaai zouden maken. 'Daar schrikken de dieren van.'

En vooral dat we nergens aan zouden komen. 'Die tandjes zijn nog piepklein, maar ze kunnen er gemeen mee bijten.'

Onze vader liep met grote stappen voorop langs dichte deuren met geluidjes erachter. Geritsel, gepiep, en, als je heel goed luisterde, gezoem. Er waren bijna geen mensen. 'Haast iedereen is op vakantie,' zei onze vader.

Hij ging een kamertje in waar het heel warm was. Tegen een van de muren stond een tafel met een grote bak erop, waar een felle lamp boven hing. In die bak lagen de eieren. De meeste waren al stuk.

Samen met onze vader keken we een hele tijd hoe de jonge dieren eruit kropen, over elkaar heen klauterden en op elkaars staart trapten met hun kleine groene pootjes.

'Geweldig, hè?' zei onze vader. 'En ze groeien hard, hoor. Als we terugkomen van vakantie zijn ze al bijna groot genoeg.'

'Groot genoeg voor wat?' vroeg Karel.

'O, gewoon, voor het hersenonderzoek.' Hij wilde niet uitleggen hoe dat precies ging. Hij zei dat dat nog te ingewikkeld was voor kinderen en dat hij nu even met de garage moest telefoneren.

'Jullie mogen best nog even hier blijven, ik kom jullie zo weer halen.'

Eerst vonden we het wel leuk in het warme kamertje. Babykrokodilletjes zijn namelijk heel schattig en je ziet ze niet zo vaak. Maar na een kwartier wisten we het wel.

'Krokodil,' zei Karel. 'Laten we op verkenning gaan.'

Karel en ik liepen het warme kamertje uit en probeerden de volgende deur. Die was op slot. De deur ernaast ook. Die daarnaast ging wel open. Erachter was een hoge kamer met links en rechts kooien tot aan het plafond en in het midden een smal paadje. In de onderste kooien zaten witte ratten met rode kraalogen en lange kale staarten. Wat er in de bovenste kooien zat, kon ik niet zien.

In de volgende kamer stonden net zulke kooien, maar dan met muizen erin.

In de kamer daarnaast stond alleen een tafel met een grote glazen bak erop. Een soort aquarium, maar dan zonder water. Er lag een dun laagje zaagsel op de bodem en op het zaagsel zat een wit konijn met een kale plek op zijn hoofd. In het midden van de kale plek had iemand het vel opengemaakt en weer dichtgenaaid. Er staken twee elektriciteitsdraadjes naar buiten met kleine stekkertjes eraan.

'Waar zouden die stekkertjes voor zijn?' vroeg Karel.

'Voor het hersenonderzoek natuurlijk,' zei ik. 'Daar kunnen ze vast konijnengedachten mee lezen.'

We keken een hele tijd naar het konijn en probeerden te raden wat het dacht. Het lukte niet echt. Misschien moest je die stekkertjes wel ergens in stoppen. Het konijn keek terug zonder met zijn ogen te knipperen. Toen deden we wie het langst kon kijken zonder te knipperen, tot onze ogen er zeer van deden.

Ineens kwam onze vader binnen. 'Hé, zijn jullie hier?' zei hij. 'Niet huilen hoor, daar voelt hij niks van. Kom mee naar de garage, we gaan het aanhangwagentje ophalen. En dan als de donder naar huis, want morgen moeten we op vakantie! Zeg, waar is Hobbel eigenlijk?'

Er klonk er een raar geluid uit het kamertje met de ratten. Toen we binnenkwamen stond Hobbel naar zijn vinger te kijken. Er kwam een beetje bloed uit. 'Heb je ze nou tóch geaaid?' vroeg onze vader.

Hobbel zei niks terug.

Picknicken aan de eettafel

Het karretje was veel groter dan ik gedacht had. Het was haast net zo groot als onze auto en veel mooier. Er zat een deksel bovenop dat op slot kon en aan de achterkant zaten lampen die precies tegelijk knipperden met de lampen van onze auto. Toen we ermee thuiskwamen had onze moeder alle kleren al in tassen gestopt en voor iedereen een korte broek en een T-shirt klaargelegd. Want in het Zuiden was het heel warm, zei ze. Het eten stond ook al op tafel.

'Schat, je bent geweldig,' zei onze vader.

'Ja, ja,' zei onze moeder.

Na het eten moesten wij meteen naar bed.

'Jullie moeten genoeg slapen, want we vertrekken morgenochtend heel vroeg,' zei onze vader bij het instoppen. 'Als het nog pikkedonker is buiten. Want het is heel ver rijden naar het Zuiden.'

'Bovendien wil ik nu eindelijk wel eens rustig op mijn gat zitten,' zei onze moeder toen ze het licht uitdeed.

'Ga jij maar rustig op je gat zitten, lieverd,' zei onze vader. 'Dan doe ik de bagage vast in het aanhangwagentje.'

Maar toen ze ons de volgende ochtend wakker kwamen maken was het buiten al hartstikke licht. Onze moeder ging op Karels voeteneind zitten, kuchte een paar keer en zei zó somber 'wakker worden, jongens,' dat het net leek alsof ze helemaal geen zin in de vakantie had. Onze vader bleef bij de deur staan treuzelen.

'Hebben jullie je verslapen of zo?' vroeg ik.

Maar dat was het niet, zei onze moeder. 'Zeg JIJ het maar tegen ze,' zei ze tegen onze vader.

Die schraapte zijn keel en zei: 'Jongens, niet schrikken, maar er is vannacht iets heel erg naars gebeurd.'

Ik dacht natuurlijk meteen dat Oude Simon was doodgegaan en dat we nu niet op vakantie konden vanwege de begrafenis, maar onze moeder zei erachteraan: 'Het karretje is namelijk GEJAT!'

'Met al onze kleren erin,' zei onze vader en hij keek er zo droevig bij dat Hobbel ervan begon te huilen, en Karel en ik bijna. Maar niet helemaal, want daarvoor was het te spannend. Er was nog nooit iets van me gestolen, behalve mijn paarse vulpen op school, maar die heeft Karel voor me terug gepikt toen ik wist wie hem had.

En nu een heel karretje!

Met al onze kleren erin!

'Mijn jurken ook?' vroeg Karel.

'De skippyballen ook?' vroeg ik.

'Dus we gaan voorlopig NIET op vakantie,' zei onze moeder.

Ook al gingen we die dag niet naar het Zuiden, we trokken wel allemaal onze korte broek aan. We moesten wel. Eigenlijk was het er veel te koud voor, maar alle lange broeken zaten in het karretje.

We aten krentenbollen met kaas voor het ontbijt. Die had onze moeder 's avonds toen wij sliepen al gesmeerd. We dronken er limonade bij uit de thermoskan, die eigenlijk voor onderweg was.

En onze moeder was net zo kribbig als wanneer we naar Limburg gaan.

Dus het leek precies of we op vakantie gingen. Alleen gingen we niet.

'Wie wil er nou onze kleren stelen?' vroeg Karel.

'NIET met je mond vol praten, Carolina,' zei onze moeder.

'Niemand wil onze kleren stelen,' zei onze vader. 'Misschien dachten ze dat er iets anders in zat. Iets wat ze konden verkopen, net als het aanhangwagentje. Dat is een boel geld waard. Onze kleren niet.'

'Onze kleren? Die kieperen ze gewoon in de sloot,' zei onze moeder.

Karel en ik keken elkaar aan. 'De sloot?' zeiden we allebei tegelijk.

'Mond DICHT en DOORETEN,' zei onze moeder. 'En Jacobina gaat haar HANDEN wassen. Die vinger van jou is PIKZWART!'

Ik keek naar mijn wijsvinger. 'Dat gaat er niet meer af,' zei ik. 'Het is teer.'

Onze moeder keek omhoog alsof ze haar eigen wenkbrauwen probeerde te zien, maar ze zei niks meer.

We aten door.

'Wanneer gaan we nou wel naar het Zuiden?' vroeg ik toen ik mijn mond leeg had.

'Pas als we nieuwe kleren en een nieuw aanhangwagentje gekocht hebben,' zei onze vader.

'Als we dan tenminste nog geld over hebben voor de rest van de vakantie!' riep onze moeder.

'Och, dat betaalt de verzekering wel,' zei onze vader.

'Dat moet ik nog zien!'

'Anders mogen jullie mijn armbandje wel verkopen,' zei Karel.

'Alles komt heus wel in orde, jongens,' zei onze vader.

'Ja, jij denkt altijd maar dat dat vanzelf gaat!' riep onze moeder.

'En anders gaan we dit jaar toch gewoon weer naar Limburg?' zei onze vader.

'Of anders blijven wij dit jaar maar eens GEWOON THUIS!'

Hobbel liet van schrik zijn krentenbol op de grond vallen.

'WIE raapt dat even OP?' vroeg onze moeder aan de thermoskan.

Ik dook snel onder de tafel en zocht, tussen vier paar blote benen met kippenvel, naar de krentenbol. Hobbels benen waren nu al vies, en hij was nog maar net wakker. Zijn lange been was nog viezer dan het korte.

Zijn krentenbol lag bij de benen van Karel, die vol blauwe plekken zaten. Jongensbenen noemt onze moeder dat, als ze een goede bui heeft.

Haar eigen benen zaten vol kleine zwarte stekeltjes. Dat komt doordat ze de haren er eerst afscheert en ze dan weer aan laat groeien. Cactusbenen noemt Karel dat, als ze het niet kan horen.

De kaas lag bij onze vader. Die had een vachtje op zijn kippenvel. Dat scheert hij er gelukkig nooit af.

Ik stopte de kaas weer tussen de krentenbol. Dat merkt Hobbel toch niet.

Boven tafel hadden ze het nog steeds over het karretje.

'Waarom stop je de bagage er dan ook 's avonds al in, als we 's morgens pas weggaan!' riep onze moeder.

'Dat vond ik nou eenmaal handig,' zei onze vader.

'Dat vond dat TUIG van de negende vast ook! Die hebben gewoon uit hun keukenraam staan LOEREN tot jij klaar was!'

'Het was anders jouw idee om ál onze kleren mee te nemen,' zei onze vader.

'Weet je wat?' zei onze moeder. 'Volgend jaar nemen

we allemaal maar één onderbroek mee en die mag JIJ dan steeds WASSEN.'

'Weet je wat?' zei onze vader. 'Volgend jaar sta jij gewoon een uur vroeger op, dan kun je zelf alles inladen.'

Onze moeder haalde diep adem. 'Als. Ik. Jou. Dan. Maar. Niet. Vergeet. In. Te. Laden,' zei ze.

Toen gooide Hobbel zijn limonade om.

'En. Nu. Iedereen. Van. Tafel,' zei onze moeder. 'Dit ontbijt is afgelopen. Carolina, Jacobina, jullie gaan buiten spelen. Met Hobbel. En jij gaat nu meteen naar de politie.' Onze vader begon ogenblikkelijk zijn nieuwe jas te zoeken, Karel en ik trokken zo snel we konden onze laarzen aan en Hobbel stapte alvast in de hobbelkar. Vandaag zat Oude Simon er niet in, ik denk omdat er geen vuile was in lag. Al onze kleren waren schoon en ze zaten in het karretje dat gestolen was.

Onze moeder kieperde de thermoskan leeg in de gootsteen en smeet de laatste krentenbol in de vuilnisbak.

'Ja, gaan jullie maar,' zei onze vader. 'Je moeder en ik willen nog even rustig met elkaar praten.'

Karel en ik keken elkaar aan en duwden snel de hobbelkar naar buiten.

Je kon maar beter uit de buurt zijn voordat ze begonnen.

We verkennen de sloot

Buiten op de galerij bleven we nog even staan om te luisteren. Onze moeder konden we het beste verstaan.

'Natuurlijk is het dat schorem van de negende! Wie anders?!' riep ze.

Wat onze vader terugzei konden we niet goed horen. Ik tilde de klep van de brievenbus een eindje op en hield mijn oor bij de kier.

'...je nu wel zeggen, maar bewijs het eerst maar eens,' zei onze vader.

'Dat hoef IK niet te doen! Daar is de POLITIE voor!' riep onze moeder nu.

'Dan ga je ze dat zelf maar vertellen!' schreeuwde onze vader terug.

Ineens trok iemand de brievenbus van mijn oor af. De voordeur ging open en onze moeder stormde naar buiten. Eerst botste ze tegen mij aan, toen struikelde ze over de hobbelkar en daarna liep ze met grote stappen over de galerij naar het trappenhuis, zonder ons zelfs maar gedag te zeggen! Samen met onze vader renden we haar achterna. Maar toen we bij de lift kwamen was ze nergens meer te zien.

'Dan neem ik de trap wel,' zei onze vader. 'Passen jullie goed op Hobbel? We zijn over een uurtje weer terug. Denk ik.' Toen rende hij naar beneden.

'Krokodil,' zei ik. 'Wat zullen wij nu eens gaan doen?'

'Krokodil. Wij gaan op verkenning, natuurlijk. Bij de sloot,' zei Karel.
'O ja, natuurlijk,' zei ik.

Om bij de sloot te komen moet je de grote weg oversteken. Dat mogen wij niet zonder grote mensen erbij, want dan kun je overreden worden door een vrachtauto die niet uitkijkt. Maar we kijken zelf altijd erg goed uit en er kwam zoals gewoonlijk helemaal geen vrachtauto aan.

Bij de sloot mogen we eigenlijk ook niet spelen. Hobbel al helemaal niet, want die kan niet zwemmen, maar voor Karel en mij is het ook gevaarlijk, want er zitten bloedzuigers. Daarom houden wij altijd onze laarzen aan als we in de sloot spelen. En gelukkig ligt er altijd wel ergens een deur, die iemand op de bouw gevonden heeft en die je heel goed als vlot kunt gebruiken. De deur die er vandaag lag was precies groot genoeg voor met zijn tweeën. Drie kon ook wel, maar dan moest je niet wiebelen.

We lieten de hobbelkar aan de slootkant achter. Karel ging voorop het vlot staan en duwde het vooruit met een plank die er ook lag. Ik stond achteraan voor het evenwicht en Hobbel zat in het midden. Het water van de sloot was heel erg helder. Je kon de bloedzuigers gewoon op de bodem zien liggen.

We keken de hele tijd of onze kleren er ook lagen. Eén keer dacht ik dat ik een onderbroek van onze vader zag. Karel en Hobbel wilden ook kijken. Het vlot zakte helemaal scheef en Hobbel werd het natst, maar het was gewoon een grote witte steen. We voeren tot bijna bij de brug, waar het water zo diep wordt dat je niet meer met een plank bij de bodem kunt komen. Toen wisten we het zeker: onze kleren lagen niet in de sloot.

Eigenlijk wilde ik nu wel naar huis. Niet dat daar nog

droge kleren waren, maar het was er wel warmer. Maar toen we in de hal van de flat op ons eigen belletje drukten, gaf er niemand antwoord.

'Ze zijn nog niet thuis. Wat nu?' vroeg ik.

'Krokodil. Laten we verdachte personen gaan afluisteren,' zei Karel. 'Wie neem jij?'

Ik dacht even na en drukte toen op een belletje op de vijfde rij, waar KANTOOR HUISMEESTER bij stond. Karel drukte op een van de bovenste belletjes. Daar zat geen bordje naast. Daarna waren we alledrie heel stil.

'Ja, hallo?' zei het belletje van Karel.

'Met Visser,' zei het mijne terug.

'Ha ha, die visser! Ben je d'r nou al weer?' vroeg het belletje van Karel. 'Dat heb je snel gedaan, man. Hoeveel heb je gevangen?'

'Gevangen? Hoe bedoelt u?' vroeg meneer Visser.

'Kolere, man! Voor die aanhanger, natuurlijk!'

'Ik vermoed dat u op de verkeerde bel gedrukt hebt,' zei meneer Visser.

'Wat gaan we nou krijgen, zeikerd! Jij belt toch bij mij aan?'

'Nee, nee, nee, beslist niet,' zei meneer Visser. 'U hebt bij mij gebeld.'

'Kolere, dan zijn het die teringkinderen weer...!' zei de stem kwaad en hing op.

Meneer Visser zei nog een paar keer 'Hallo?' maar het belletje van Karel zweeg en wij ook.

'Krokodil. Wat gaan we nu doen?' vroeg ik aan Karel toen meneer Visser ook had opgehangen.

'Krokodil. Laten we lege flessen gaan ophalen met de hobbelkar,' zei Karel.

'Oké,' zei ik. We halen wel vaker lege flessen op met de hobbelkar. Als er statiegeld op zit kopen we daar kauwgomballen van, of iets anders wat we van onze moeder niet mogen omdat onze tanden ervan wegrotten.

'Op de negende,' zei Karel. 'Bij de moeder van Mike en Eddie.'

'Oooh...' zei ik. 'Eh... ké...'

Hobbel gaat naar een toilet

De lift kwam deze keer veel te snel. Karel drukte op het bovenste knopje. Dat zag er anders uit dan de andere knopjes. Alsof het eerst zacht geworden was en daarna weer hard. Het plastic was zo grijs en bobbelig dat je de negen die er vroeger op gestaan had niet eens meer kon lezen. Je kon hem alleen nog raden, doordat op het knopje eronder een acht stond. Je kon ook haast niet meer zien dat er een lichtje in het knopje ging branden als je erop drukte. Of dat het uitging als de lift stopte.

'Kijk uit!' riep ik toen de deur openging en Karel de hobbelkar naar buiten wilde duwen.

'Getverdemme!' zei Karel.

Vlak voor de lift lag een dikke hondendrol. Hobbel trapte er bijna in.

We liepen over de galerij, Karel met Hobbel in de kar voorop. Ze stopten bij een deurmatje met de vorm van een hondenkop.

'Krokodil. Jij blijft buiten de wacht houden,' zei Karel.

'Krokodil. Oké! Best! Prima!' zei ik. Wij mogen van onze moeder namelijk niet bij vreemde mensen naar binnen gaan. Zelfs niet als ze zeggen dat ze een lolly voor je hebben, of dat er jonge poesjes zijn.

'Hobbel en ik gaan naar binnen om onze kleren te zoeken,' zei Karel. 'We doen gewoon alsof hij naar de wc moet.'

'Toilet,' zei ik automatisch. Andere mensen zeggen namelijk toilet. En toiletpot. En toiletpapier. En toiletbrildeksel. Op de vloer van zo'n toilet ligt een kleedje van roze namaakbont, in zo'n toiletpot hangt een plastic houdertje met een anti-stinkblokje, op toiletpapier staan roze bloemetjes en om een toiletbrildeksel zit een toiletbrildekselhoesje, dat ook van roze namaakbont is en waar je niet met je schoenen op mag staan.

'Toilet dan,' zei Karel en belde aan. Het was een dingdong-bel, maar dat kon je bijna niet horen doordat Whisky en de varkenshond er meteen doorheen begonnen te blaffen. De deur ging op een kier open.

'Ja? Wat mot je?' zei de moeder van Mike en Eddie.

'Hebt u ook lege flessen?' vroeg ik op mijn allerbeleefdst. 'Dan brengen wij ze voor u naar de glasbak.'

'En mag ons broertje alstublieft bij u naar het toilet?' vroeg Karel erachteraan.

De moeder van Mike en Eddie keek door de kier naar Hobbels natte broek. 'Volgens mij is-ie al geweest,' zei ze.

'Dat is water,' zei Karel.

'Hij is een beetje in de sloot gevallen,' zei ik.

Ze draaide zich om en riep: 'Mike! Hou die teringhonden effe koest! D'r mot hier een kind pissen!' Ze maakte de kier iets wijder. 'Kom d'r maar in, jochies,' zei ze. Karel duwde Hobbel door de kier en glipte er zelf achteraan. Ik deed nog een stapje achteruit. De deur ging weer dicht en ik bleef alleen achter op de galerij. Na een poosje hield het geblaf op. Nu hoorde ik alleen nog maar de wind. Het leek wel of het op de negende verdieping veel harder waaide dan bij ons op de eerste.

Beneden sloeg ergens een autodeur dicht. Ik keek omlaag. Langs de glasbak liep een mevrouw die van bovenaf wel een beetje op onze moeder leek. Ik ging zo ver als ik durfde over het hek van de galerij heen hangen tot ik haar zag verdwijnen onder in de flat. Het hek rammelde. Er zat een spijl los. Het donkergrijze metaal voelde rasperig aan, als de tong van Oude Simon. Ik rammelde hem heen en weer, steeds sneller en sneller, tot het hele hek ervan begon te gonzen, en telde tot tien. En nog eens. En nog eens.

Voetstappen en echo's van voetstappen klepperden over een verre galerij. Ergens in de diepte sloeg een voordeur dicht. Ik telde tot vijftig en daarna achteruit weer terug tot nul. Er gebeurde nog steeds niks.

Ik draaide me om en keek naar de deur waar Karel en Hobbel door verdwenen waren en naar de sticker van de hond die 'Hier waak ik!' zei. Hij leek wel een beetje op Whisky. Wat bleven Karel en Hobbel lang weg. Het was net alsof ze me vergeten waren.

Ik telde tot honderd, zo langzaam als ik maar kon, en toen tilde ik de klep van de brievenbus op, zo zacht als ik maar kon want honden hebben hele goede oren, en gluurde naar binnen. Ik moest mijn adem inhouden. Achter de voordeur van Mike en Eddie stonk het ontzettend, naar hond en naar vuilnis. Hun hele gang stond vol vuilniszakken. Er was ook een kapstok, waar twee hondenriemen aan hingen en net zo'n jas als onze vader heeft.

Heel zachtjes liet ik de klep weer zakken. Toen stak ik mijn hand in mijn jaszak en klemde mijn vingers om het stuk ijzerdraad dat ik op de bouw gevonden had.

Ik telde nog twee keer tot honderd, maar er kwam nog steeds niemand naar buiten. Misschien kwamen Karel en Hobbel wel nooit meer terug. Misschien waren ze betrapt toen ze naar onze kleren zochten. Misschien waren ze wel gevangengenomen door Mike en Eddie. Misschien werden ze wel bewaakt door de honden!

Ik telde nog een keer tot honderd, voor de zekerheid. Je kon nooit weten namelijk. Misschien zat Hobbel gewoon wel heel erg lang te poepen.

Toen haalde ik het ijzerdraad uit mijn zak en maakte een lus van het ene uiteinde. Zo'n lus die je door de brievenbus naar binnen kunt steken om ermee aan het haakje van het slot te trekken. Dat was ik echt van plan namelijk. En als de deur dan opengaing zou ik bij Mike en Eddie naar binnen sluipen, heel zachtjes, zodat de honden het niet hoorden, en dan zou ik Karel en Hobbel bevrijden. Maar ik moest wel eerst een goede stevige lus maken, niet zo een die meteen losschiet als je ermee aan een haakje trekt.

Net toen ik klaar was met de lus begonnen de honden weer te blaffen en ging de deur open. Ik propte het ijzerdraad snel in mijn zak, zodat Mike en Eddie niet konden zien wat ik van plan geweest was. Eerst kwam Karel naar buiten met een lolly en een plastic tas vol lege flessen. Hobbel kwam erachteraan met twee lolly's, één in zijn hand en één in zijn mond. Hij kleefde nu al.

'Nou doei!' zei de moeder van Mike en Eddie en sloeg de deur achter ze dicht.

Bij de lift keken we in de plastic tas. Nergens zat statiegeld op. 'Dat dacht ik al,' zei Karel. Hobbel gaf mij de lolly waar hij nog niet aan gelikt had. Ik stopte hem in mijn zak, voor de zekerheid. Wij mogen van onze moeder namelijk geen snoep aannemen van vreemde mensen, dat kan vergiftigd zijn. Als Karel en Hobbel ineens bewusteloos zouden neervallen moest ik ze nog naar huis kunnen brengen in de hobbelkar.

Maar er gebeurde niks.

Ja, toen we op de lift stonden te wachten, stapte Hobbel toch nog in de drol.

We gingen naar Begane Grond. Daar stond de glasbak. Hobbel mocht de flessen aangeven en Karel en ik gooiden ze erin. We waren bijna klaar toen Eddie zonder helm kwam aanknetteren op zijn stinkbrommer. Hij reed vlak langs ons, deed net alsof hij de hobbelkar ging aanrijden maar stopte op het laatste moment.

'Tering zeg, wat zijn jullie hard aan het werk,' zei hij. 'Gaan jullie niet op vakantie dit jaar?' Daar moest hij zelf heel erg om lachen.

Toen wij naar boven gingen zette hij zijn brommer op de standaard en begon een sjekkie te draaien.

Op de galerij deden we wat we altijd doen als we over de galerij lopen. Ik pakte een matje, Karel pakte een ijzeren roostertje en die schoven we zonder ze na te kijken tussen de spijlen van het hek door naar beneden. Net als altijd.

PLOF hoorden we.

Net als altijd.

Maar we hoorden geen BENG.

Wel AU!

En KOLERE!

En STELLETJE TERINGKINDEREN!!!

We bleven maar niet staan luisteren of er nog meer kwam. Karel duwde de hobbelkar met Hobbel erin zo snel mogelijk naar onze eigen voordeur en ik rende vooruit en haalde ondertussen het ijzerdraadje met de lus uit mijn zak.

Ik had de deur in een wip open.

Hobbel verraadt het wachtwoord

'Dag schat, ben je nu al terug?' riep onze moeder. 'Is alles gelukt?' Ze klonk helemaal niet kribbig meer, maar Karel en ik gaven geen antwoord. We hadden niet eens tijd om onze laarzen schoon te krabben. We schoven de hobbelkar de gang in, gooiden de voordeur achter ons dicht, grepen elk een hand van Hobbel beet en sleepten hem tussen ons in de huiskamer door, langs onze verbaasde moeder, de badkamer in. Die kon op slot.

We deden het badkamerlicht niet aan.

'Misschien weet hij niet waar we wonen,' fluisterde ik in het donker.

De bel ging.

'Misschien gaat hij wel weg als er niemand opendoet,' fluisterde Karel terug.

Maar onze moeder deed wel open.

We hoorden haar met iemand praten, maar we konden niet verstaan wat ze zei.

Even later sloeg de voordeur weer dicht.

Er klopte iemand op de deur van de badkamer.

'Wie is daar?' vroeg Karel.

'Ik ben het maar,' zei onze moeder. 'Doe die deur eens open.'

'Is hij weg?' vroeg ik.

'Hij is weg.'

Ik deed de badkamerdeur open.

Daar stond onze moeder met een ijzeren roostertje in

haar hand en een heel streng gezicht. 'Carolina!' zei ze. 'Jacobina! WIE van jullie heeft dit ding naar beneden gegooid?'

Karel keek naar mij. Ik keek naar Karel.

'Ik!' zeiden we toen allebei tegelijk.

Onze moeder deed haar uiterste best om streng te blijven kijken, maar ze hield het niet vol. 'Uitstekend gemikt, dames!' zei ze. Daarna moesten we beloven dat we het nooit meer zouden doen.

Toen wij het roostertje hadden teruggelegd en het andere matje beneden hadden opgehaald stonden de boterhammen klaar. 'Wij gaan maar vast lunchen,' zei onze moeder. 'Ik snap niet waarom jullie vader zo lang wegblijft.'

'Waar is hij dan naartoe?' vroeg ik.

'Eerst zijn we samen naar de politie geweest. Niet dat dat helpt, maar als je geen aangifte doet krijg je ook geen geld van de verzekering,' zei onze moeder. 'Daarna moest hij nog even de stad in zei hij. Ik hoop dat hij nieuwe kleren gaat kopen, maar dat zal wel niet.'

'Krokodil!' riep Karel ineens. 'Wij weten waar onze kleren zijn!'

Ik was zo verbaasd dat ik helemaal vergat dat onze moeder het wachtwoord niet mocht weten. 'Krokodil! Waar dan?!' vroeg ik.

'En wat heeft die krokodil ermee te maken?' vroeg onze moeder.

'Niks,' zei ik snel. Want zelfs al heb je het wachtwoord verraden, dan hoef je nog niet te verraden dát je het verraden hebt.

'In de gang van Mike en Eddie,' zei Karel. 'Pappa's nieuwe jas hangt aan hun kapstok en de rest zit natuurlijk in die vuilniszakken.'

'O, natuurlijk!' zei ik snel. 'In die vuilniszakken. Ik vond het er al zo verdacht veel!'

'We hoeven ze alleen nog maar terug te stelen,' zei Karel. 'Help je mee, mam?'

Onze moeder deed haar mond wel drie keer open en weer dicht, maar er kwam geen geluid uit. De vierde keer wel. Toen zei ze: 'In de gang van MIKE en EDDIE!? Hoe. Weten. Jullie. Dat. Zo. Goed!?' Ze was kwaad, en niet zo'n beetje ook. Vooral op Mike en Eddie natuurlijk. Maar ook wel een beetje op ons.

'O, dat hebben we vanmorgen ontdekt toen we buiten moesten spelen van jou,' zei Karel. 'We hebben een club en we observeren verdachte personen en zo. Dat is heel leuk. Jij mag er ook wel bij. Ja toch, Co?'

'Nee!' zei ik. Want in die boeken van de bieb mag de moeder ook nooit bij de geheime club. 'Bovendien weet ze het wachtwoord niet.'

En dat was het moment waar onze vader het al zo lang over had, het moment waarop Hobbel er ineens helemaal vanzelf aan toe was om te gaan praten. 'Ko,' zei Hobbel. 'Ko. Dril.'

Daar waren we allemaal eerst een poosje stil van.

Toen zei onze moeder: 'Wat jammer dat jullie vader hier nu niet bij is!' En daarna knuffelde ze Hobbel zo lang dat het wel leek of ze vergeten was hoe kwaad ze eigenlijk was. Maar ineens wist ze het weer.

'Krokodil!' zei ze. 'Wij gaan NU naar de negende! Wij gaan onze kleren TERUG STELEN! En je vaders nieuwe jas ook!'

Karel, Hobbel en ik bleven zitten.

'Krokodil! Waar zijn jullie bang voor?' vroeg onze moeder.

'Voor Mike,' zei Karel.

'Voor Eddie,' zei ik.

'Voor de varkenshond,' zeiden we allebei tegelijk.

'Kokodril!' riep Hobbel.

Onze moeder begon hem alweer knuffelen.

'Misschien kunnen we beter onze kleren terug stelen als Mike en Eddie de honden aan het uitlaten zijn,' zei Karel.

'En hun moeder dan?' vroeg ik.

'Die kan IK wel aan,' zei onze moeder.

Voor deze ene keer leek een moeder in de club me toch wel handig. Ik legde haar zelfs uit hoe mijn ijzerdraadje werkte.

We stonden al een uur uit het raam van het trappenhuis naar het lege voetbalveld te kijken toen de honden eindelijk kwamen aanrennen. Whisky begon meteen tegen de ene doelpaal te piesen, de varkenshond nam de andere. Even later kwamen Mike en Eddie ook aanslenteren.

'Krokodil! Nú!' zei onze moeder en drukte op het knopje van de lift.

Het duurde heel lang voor de lift kwam, en toen hij kwam stond hij tjokvol vuilniszakken.

'Die teringstortkoker is weer eens verstopt,' zei de moeder van Mike en Eddie, die ook in de lift stond. 'En die gozers van mij zijn te beroerd om hun eigen zooi weg te brengen.'

'Mijn kinderen helpen u wel even de boel in de container te gooien,' zei onze moeder en ze propte Karel, Hobbel en mij de lift in, bij de vuilniszakken. Ik kon haar nog net mijn ijzerdraadje met de lus toestoppen voor ze het trappenhuis in rende.

Beneden haalden we alle vuilniszakken uit de lift. Ze waren best zwaar. We brachten ze heel langzaam naar de container terwijl de moeder van Mike en Eddie toekeek en over haar rug wreef. Daarna ging zij naar het voetbalveld om Mike en Eddie uit te schelden en sleepten wij de vuilniszakken razendsnel weer terug naar de lift en brachten ze naar huis.

Op het roostertje voor onze voordeur stond iemand aan te bellen. Het was meneer Visser.

'Jullie moet ik net hebben!' riep hij. 'Nou heb ik jullie te pakken! Jullie dachten zeker dat die ouwe Visser niks doorhad, hè? Maar ik heb jullie bezig gezien, hoor! Ik keek toevallig net uit het raam! Alles heb ik gezien! Alles!!' Hij schreeuwde zo hard dat ik bang was dat Mike en Eddie het ook zouden horen. 'Ja, meneer Visser heeft heel goed in de gaten wat er in deze flat gebeurt! Vooral als het zo gevaarlijk is! Jullie spelen met je leven, weet je dat!' Hij spuugde er zelfs een beetje bij.

'Gevaarlijk?' vroeg ik.

'Met ons leven?' vroeg Karel.

'Kokodril!' zei Hobbel.

'Lévensgevaarlijk!' spetterde meneer Visser. 'Als je zo'n ding op je hoofd krijgt, spuiten je hersens door je oren naar buiten!'

Ik keek naar de vuilniszakken. Zó zwaar waren die nou ook weer niet.

Karel keek naar ons roostertje.

'Hersens?' vroeg ik.

'Oren?' vroeg Karel.

'Gewoon doen alsof je gek bent, hè?' Meneer Visser werd hoe langer hoe kwaaier. 'Je nergens iets van aantrekken, hè? Als ik het nog één keer zie...! Als ik jullie nog één keer het doel zie omgooien...! Nou, dan zal ik eens een hartig woordje met jullie ouders spreken!'

'O, het dóél!' zei Karel.

'Dat waren wij niet, hoor,' zei ik. Want ik geloof nooit dat meneer Visser vanaf de vijfde etage precies kan zien wie er in een doelpaal klimmen. En als er geen draadjes met stekkertjes uit je hersenen steken, kunnen ze nooit helemaal zeker weten of wat je zegt hetzelfde is als wat je denkt.

'Dat zijn vast Mike en Eddie geweest' zei Karel en keek zo onschuldig dat meneer Visser mopperend wegliep. Gelukkig maar, want vlak daarna kwam onze moeder terug en die kan veel beter zien of we liegen.

Ze had de nieuwe jas van onze vader aan. Die rook nu niet zo nieuw meer. Ze gaf me mijn ijzerdraadje terug. 'Het ging fantastisch!' zei ze. 'Maar eh... zeg maar niet tegen je vader dat ik ermee ingebroken heb. Dan zal ik niet zeggen dat jullie alleen met de lift geweest zijn.'

Eindelijk weg

Vlak daarna kwam onze vader ook thuis.

'Hé, je hebt mijn jas gevonden,' zei hij. 'Waar was hij nou? En waarom staan al die vuilniszakken middenin de huiskamer?'

'Waar kom jíj zo laat vandaan?' vroeg onze moeder.

'Eh... ik ben heel even langs de garage geweest,' zei onze vader. 'Ik eh... ik heb maar vast een nieuw aanhangwagentje gekocht. Van het geld dat we terug gaan krijgen van de verzekering.'

'Je hebt WAT!?' zei onze moeder. Je kon wel merken dat ze aan vakantie toe was. Ze werd veel sneller kribbig dan anders.

'Niet helemáál nieuw, hoor, schat,' zei onze vader snel. 'Tweedehands. En nog maar amper gebruikt, zei die man van de garage. Alleen is het slot kapot, maar daar heeft hij me een touw voor meegegeven. Het was echt een koopje! Van het geld dat ik nu bespaard heb kunnen we zakken vol kleren kopen!'

Onze moeder glimlachte alweer. 'Dat hoeft niet meer,' zei ze, 'want wij hebben ook een verrassing. Hè, jongens?'

Karel en ik grijnsden en Hobbel zei: 'Koko. Dril.'

Nu was het onze vaders beurt om 'Wát?!' te zeggen.

'Kokodril!' zei Hobbel weer.

'Horen jullie dat!' riep onze vader. 'Hij praat! Hobbel praat! Ik wist het wel! Hij zegt iets! Hij zegt kokodril! Dat betekent wel niks, maar dat komt ook nog wel. Dit is geweldig!' En hij gooide Hobbel de lucht in, zodat die bijna zijn hoofd stootte tegen het plafond, ving hem weer op en danste met hem door de kamer.

'En dit is ook geweldig,' zei Karel en maakte de eerste vuilniszak met kleren open.

En onze moeder werd maar een klein beetje kribbig toen onze vader daarna de tweede vuilniszak over de vloer leegkieperde, en die vol bleek te zitten met sigarettenpeuken, bananenschillen, beschimmeld brood en koffieprut.

We moesten die avond vroeg naar bed. De volgende ochtend, toen het nog helemaal stikdonker was, kwam onze vader onze slaapkamer binnengestommeld.

'Wakker worden, stelletje slaapkoppen,' riep hij. 'Het Zuiden wacht!'

'Waar is mamma?' vroeg Karel.

'Die zit in de auto,' zei onze vader. 'Sinds gisteravond al. Ze wou per se zelf op het nieuwe aanhangwagentje passen.'

We gingen allemaal in de auto ontbijten, voor de gezelligheid. Ik droeg Oude Simon, Karel droeg de thermoskannen en de krentenbollen, en onze vader droeg Hobbel want de hobbelkar bleef thuis.

'Zo, zijn jullie daar EINDELIJK,' zei onze moeder. Die heeft altijd een ochtendhumeur als ze nog niet gegeten heeft.

'Dan kunnen we nu weg,' zei onze vader toen onze moeder een krentenbol en koffie op had, maar onze moeder wilde eerst nog terug naar boven om te kijken of onze vader het koffiezetapparaat wel had uitgezet.

Ze bleef erg lang weg. In de tussentijd kwam er een politieauto aanrijden waar drie agenten uit stapten die de flat binnengingen en na een tijdje op de galerij van de negende etage weer tevoorschijn kwamen. Ze bleven staan voor de deur van Mike en Eddie. Toen kwam onze moeder terug.

'Waar bleef je nou zo lang?' vroeg onze vader.

'O, ik moest ook nog even iemand bellen,' zei onze moeder. 'Zal ik het eerste stuk rijden?'

Dat vond onze vader een fijn plan.

Karel sliep al voor we de straat uit waren.

Hobbel zat naast me het wachtwoord te repeteren. 'Ko. Ko. Dril. Koko. Dril. Ko. Kodril.'

Ik begon voor de tweede keer aan mijn eerste bibliotheekboek.

Op mijn schoot zat Oude Simon zachtjes te spinnen.

Onze moeder zong een liedje van vroeger. Het was maar een heel klein beetje vals en dat hoorde je haast niet omdat onze vader er steeds doorheen ritselde met de kaart.

'Weet je al waar we zijn, schat?' vroeg onze moeder af en toe.

'Nog niet, lieverd,' zei onze vader. 'Nog niet. Maar we komen er heus wel.'

Het was heel ver rijden naar het Zuiden, maar dat gaf toen nog niet.

Een hotel met een garage

Hoe dichter we bij het Zuiden kwamen, hoe warmer het werd. Eerst plakten mijn benen vast aan de achterbank, daarna aan elkaar en daarna aan de benen van Karel en Hobbel en de vacht van Oude Simon.

Hoe plakkeriger het werd, hoe vaker we ruzie kregen. Karel zei dat ik duwde, ik zei dat Karel scheef hing, en Hobbel vond geloof ik dat ik hem met mijn ellebogen prikte als ik een bladzij omsloeg, hij prikte tenminste steeds terug.

Hoe meer lawaai het was op de achterbank, hoe harder onze moeder riep dat ze tegen een boom aan ging rijden als we nu niet ophielden. Maar gelukkig stonden er helemaal geen bomen langs de snelweg. Ook keek ze telkens in de achteruitkijkspiegel om te zien of het karretje nog wel aan de auto hing. 'Wat rijdt dat raar zeg, met een karretje eraan,' zei ze steeds. 'Is het niet te zwaar? Volgens mij heb je er veel te veel in gedaan. En zit dat touw wel goed vast? Als het deksel openspringt liggen al onze kleren op straat.'

'Rustig maar, schat,' zei onze vader. 'Alles zit heus goed vast.'

Na een hele tijd stopten we even bij een benzinepomp, zodat onze ouders van plaats konden wisselen en we allemaal naar de wc konden. Het tweede stuk reed onze vader. Nu keek onze moeder telkens naar de snelheidsmeter. 'Je rijdt te hard, hoor,' zei ze. 'Je mag maar tachtig als je een karretje hebt.'

'Mij best, schat. Maar dan zijn we er vanavond om twaalf uur pas,' zei onze vader.

Toen onze vader wilde wisselen mochten we weer naar de wc. Maar hoe dichter we bij het zuiden kwamen, hoe viezer de wc's waren. Eigenlijk hebben ze in het Zuiden helemaal geen wc's. Ze hebben er een soort douchebakken zonder douche, met een gat in het midden waarin je moet mikken terwijl je op je hurken zit. Dat mikken kon Hobbel niet zo goed. 'Volgende keer gaan we ergens in het gras plassen,' zei onze moeder toen ze hem had schoongemaakt met van dat harde gladde wc-papier dat ze in het Zuiden hebben.

'Mij best, als er maar geen slangen zitten,' zei onze vader.

Dus gingen we na het derde stuk van de snelweg af om een rustig plekje te zoeken, zodat onze moeder kon plassen zonder dat iemand haar blote billen zag. En na het vierde stuk weer. Slangen zagen we nergens. Maar hoe dichter we bij het Zuiden kwamen, hoe meer vliegen er waren. En hoe rustig het plekje ook was, zodra er iemand ging plassen kwamen die van alle kanten aangevlogen. En als er iemand poepte helemaal. En ons eigen wc-papier zat ergens in het karretje, zodat onze vader het touw eerst helemaal moest losmaken en daarna weer net zo stevig vastknopen als eerst.

Toen het donker begon te worden zei onze vader dat hij nu al wist dat het niet ging lukken om in één dag door te rijden naar het huisje en dat dat door al het gezoek naar goede plasplekjes kwam.

'Waar had je dan willen plassen? Langs de snelweg soms?' vroeg onze moeder.

Onze vader zei dat het hém persoonlijk niks uitmaakte wie zijn blote billen zag.

Onze moeder zei dat zij het gewoon geen prettig idee vond en dat het haar persoonlijk niks uitmaakte om een dagje later bij het huisje aan te komen. 'Dan zoeken we toch voor vannacht een goedkoop hotelletje? We hebben drie hele weken vakantie,' zei ze.

Toen zei onze vader dat híj het persoonlijk geen prettig idee vond dat het aanhangwagentje bij dat goedkope hotelletje van haar de hele nacht buiten zou moeten staan, met al onze kleren erin en zonder slot erop.

'Ja, dan had je maar een karretje met een slot moeten kopen,' zei onze moeder.

Onze vader zei dat hij vannacht best in een hotelletje wilde slapen, maar dan één met een garage erbij waar het aanhangwagentje in kon staan. En dat dat duurder was. 'Dat moet dan maar,' zei onze moeder.

Het eerste hotelletje waar we stopten had geen garage. Het tweede, het derde en het vierde ook niet. Het vijfde hotel had een garage die groter was dan al die andere hotelletjes bij elkaar. 'Zie je nou wel,' zei onze vader, en ging naar binnen om te vragen of er nog kamers vrij waren. Hij kwam terug met twee grote ijzeren dingen waar een sleutel aan hing. 'Zie je nou wel,' zei hij weer.

'En wat kost dit grapje ons nou?' vroeg onze moeder.

'Eh... dat heb ik niet helemaal goed verstaan,' zei onze vader.

'Ik ga het nog wel even vragen,' zei onze moeder. Ze wilde eigenlijk dat Oude Simon in de auto bleef zitten, want dit was volgens haar niet het soort hotel waar huisdieren welkom waren, maar dat vond onze vader niet goed. 'Geen sprake van!' zei hij. 'We smokkelen hem wel naar binnen in een tas.' Die tas moest ik natuurlijk dragen.

De hal van het hotel was zo groot dat ik dacht dat het er wel zou echoën als je heel hard riep. Maar nadat ik dat uitgeprobeerd had mochten we van onze moeder verder alleen nog maar fluisteren.

We moesten met onze vader en de tas met Oude Simon op een fluwelen bank gaan zitten terwijl zij met de ijzeren sleuteldingen naar de balie ging om te vragen hoe duur de kamers waren. Het fluweel zag er heel zacht uit, maar het prikte ontzettend aan je benen. Boven de bank hing een lamp die vol hing met lange glinsterende kettingen.

'Zouden dat echte diamanten zijn?' fluisterde Karel. Onze vader fluisterde terug dat het gewoon stukjes glas waren, maar volgens mij heeft hij helemaal geen verstand van diamanten.

Toen onze moeder de ijzeren dingen met de sleutels eraan bij de balie had omgeruild voor een stel andere gingen we naar boven.

Onze vader droeg Hobbel. Onze moeder droeg de tassen waarvan ze dacht dat onze pyjama's en onze tandenborstels erin zaten en een plastic tas met een oude krant erin, voor als Oude Simon moest plassen. Ik droeg de tas met Oude Simon en Karel droeg de sleutels.

Er was wel een lift, maar die ging maar tot de derde etage. Wij moesten naar de zesde, want daar waren de kamers goedkoper.

'Wel hoog, hoor,' zei onze vader.

'Ja, het is even afzien, maar ik heb nog nooit zoveel geld bespaard met een beetje traplopen,' zei onze moeder.

Hoe hoger we kwamen, hoe benauwder het werd in het hotel. De trap naar de zesde was nog steiler en smaller dan die naar de vierde en de vijfde en kwam uit op een donker gangetje vlak onder het dak. Toen onze moeder het lichtknopje gevonden had moesten we snel de deuren zoeken die dezelfde nummers hadden als er op de ijzeren dingen stonden, want na een poosje ging het licht vanzelf weer uit.

Karel en ik en Oude Simon kregen kamer 601. Onze vader, onze moeder en Hobbel namen kamer 602.

'Gaan jullie je pyjama maar vast aantrekken,' zei onze moeder.

Ik haalde eerst Oude Simon uit de tas en legde hem op mijn voeteneind. Hij sliep gewoon verder terwijl Karel en ik onze kamer verkenden. Dat was zo gebeurd. Het was maar een piepklein kamertje. Er pasten precies twee bedden, één gammele stoel en een wasbak in, dan was het vol. Uit de kraan van de wasbak kwam koud bruinig water dat een beetje raar smaakte. De muren stonden heel dicht om de bedden heen, en het pafond hing er vlak boven. Er was één schuine muur, maar dat was eigenlijk een stukje van het dak.

Het rook een beetje muf in kamer 601, maar helemaal bovenin die schuine muur zat een raampje. Daar kon je alleen bij als je op je tenen op de gammele stoel ging staan. Karel klom op de stoel en duwde het raampje open. Toen ik zag dat de stoel het hield klom ik er ook bij en stak mijn hoofd naar buiten. Daar was het al net zo warm en benauwd als in onze kamer. We konden nog net zien dat ze in het Zuiden hele brede dakgoten hadden, toen stortte de stoel in, maar Karel zette hem weer zo in elkaar dat je er niks meer van zag.

Onze pyjama's zaten niet in de tas, onze tandenborstels jammer genoeg wel. Ik zette ze in het glas dat op het plankje boven de wastafel stond. Toen gingen we in kamer 602 kijken. Daar stond een tweepersoonsbed dat veel kleiner was dan het bed dat onze vader en moeder thuis hadden en een opklapbed voor Hobbel dat veel groter was dan zijn eigen bed.

Bij ons op kamer 601 was geen wc, maar op 602 hadden ze een klein badkamertje met wel twee wc's. De ene was gelukkig een gewone, zoals wij thuis ook hebben, maar de andere was veel kleiner en er zat geen bril op. 'Die is om je voeten in te wassen,' zei onze vader.

Hij begon met de voeten van Hobbel, die waren het viest van allemaal.

Na het voeten wassen kregen we allemaal nog een krentenbol, die lang niet meer zo lekker was als 's morgens, en daarna moesten we naar bed. 'Doe jullie kamerdeur maar niet op slot,' zei onze moeder toen ze ons had ingestopt. 'Straks als jullie slapen kom ik nog wel even naar jullie kijken.'

Maar voor we gingen slapen sprongen we eerst nog een tijdje op het bed van Karel, want Oude Simon lag nog steeds op het mijne. Het waren echt supergoeie springbedden, alleen zat het plafond een beetje laag. Toen ik er met mijn hoofd tegenaan kwam riep onze moeder heel hard door de muur heen dat we nu stil moesten zijn want dat Hobbel allang sliep!

We riepen 'welterusten!' terug en kropen in onze bedden. Karel sliep natuurlijk meteen, maar ik lag nog een hele tijd te luisteren naar het doortrekken van de wc's in de rest van het hotel.

Middenin de nacht werd ik wakker. Het onweerde buiten, maar Karel sliep er zoals gewoonlijk doorheen, ook toen het naar binnen begon te regenen door het raampje in ons dak. Maar ik durfde niet meer op de stoel te klimmen om het dicht te doen.

Toen ik weer in slaap viel droomde ik dat onze moeder heel zachtjes onze kamer binnenkwam om naar ons te kijken en het raam op een kier te zetten. Maar later in de droom was het toch onze moeder niet, want toen had ze ineens heel lang blond haar en klom ze het dakraampje uit. Zoiets zou onze moeder nooit doen.

Toen ik 's morgens wakker werd was de stoel weer ingestort. Het raampje stond nu wagenwijd open.

We zijn er bijna

De volgende ochtend zouden we weer heel vroeg vertrekken, omdat het dan nog niet zo warm was. We waren als eersten in de eetzaal, zodat we de lekkerste broodjes konden nemen. Onze moeder kreunde bij iedere beweging. 'Ik ben geradbraakt,' zei ze. 'Dat ze in zo'n duur hotel zulke slechte bedden hebben! Op de terugweg slaap ik net zo lief in de auto.'

Toen er andere mensen aankwamen waren wij net klaar met ontbijten en wilde onze moeder het hotel betalen. Wij moesten weer met onze vader op de prikbank zitten. Het duurde een hele tijd. Er liepen wel allemaal haastige mannen in uniform heen en weer, maar er kwam helemaal niemand van het hotel aan de balie. Pas toen onze moeder een paar keer op een gouden belletje sloeg en heel hard 'Allo! ALLO!' begon te roepen, kwam er een meneer in een streepjespak aanrennen. Allo betekent denk ik hallo in het Zuiden.

De meneer zei heel vaak pardôh. Dat betekent denk ik sorry in het Zuiden. Maar verder verstond ik er niks van. Onze vader had het ook niet verstaan. 'Wat zei die man nou allemaal?' vroeg hij toen we eindelijk in de auto zaten.

'Er was iets met de manager,' zei onze moeder. 'Die was op staande voet ontslagen, of gearresteerd of zo. En zonder manager loopt in zo'n groot hotel alles in de soep.'

'Ontslagen? Waarom dan?' vroeg ik.

'Dat begreep ik ook niet helemaal,' zei onze moeder. 'Maar ik geloof dat hij verliefd geworden was op een Nederlands meisje. Blijkbaar mag dat hier niet.'
'Alsof er iets mis is met Nederlanders,' zei onze vader.
'Hier vinden ze van wel,' zei onze moeder. 'Hier vinden ze Nederlanders vies. En gierig.'
'Onbegrijpelijk,' zei onze vader.

Het begon op de achterbank al weer aardig plakkerig te worden.
'Gelukkig is het niet zo ver meer,' zei onze vader, 'we zijn dik over de helft.'
Maar de tweede helft van onze reis leek veel langer dan de eerste.
Misschien kwam dat door het landschap. Hoe dichter we bij het Zuiden kwamen, hoe hoger de bergen werden. En hoe hoger de bergen werden, hoe mooier onze moeder vond dat het er buiten uitzag. Daarom moesten wij van haar steeds uit het raam naar dat prachtige uitzicht kijken.
'Lezen en slapen kunnen jullie thuis ook,' zei ze. 'En het helpt ook goed tegen de misselijkheid.'
Maar dat was bij Hobbel niet zo.
'Gelukkig is het niet zo ver meer,' zei onze vader terwijl hij Oude Simon schoonpoetste. Onze moeder veegde intussen Hobbel en de achterbank af, tot ze allebei alleen nog maar naar kots róken.

Hoe hoger de bergen werden, hoe bochtiger de wegen waren. En hoe bochtiger de wegen waren, hoe meer het karretje begon te rammelen. En hoe meer het karretje rammelde, hoe langzamer onze moeder ging rijden.
'Hup schat, zo komen we er nooit!' zei onze vader. Onze moeder trapte op de rem. 'Rij jij dan de rest maar,'

zei ze. 'Het is jouw karretje tenslotte. Ik lees de routebeschrijving wel voor.'

Onze vader reed een stuk harder.

Na een hele poos kwamen we door een klein stadje dat er best wel leuk uitzag. Het had een plein met een grote fontein in het midden en een cafeetje waar tafeltjes met parasols buiten stonden. 'Zullen we hier even stoppen om te plassen?' vroeg onze moeder. 'Dan nemen we meteen iets te drinken en kunnen de kinderen de benen even strekken.' Maar onze vader vond dat ze het nog maar even op moest houden, omdat we er nou echt bijna waren.

Ze hadden zelfs een zwembad in dat stadje. Daar stopten we ook niet.

Vlak voorbij het zwembad stond een meisje met een pet en een zonnebril op langs de kant van de weg, met een klein wit koffertje naast zich. Ze stak haar duim op.

'Nu stop je ook niet, hoor, denk erom,' zei onze moeder.

'Goed, schat. Ze zou er toch niet meer bij passen,' zei onze vader en reed het meisje voorbij.

Daarna moesten we linksaf volgens onze moeder. We sloegen een weggetje in dat zo smal en bochtig was dat Hobbel voor deze ene keer voorin mocht zitten omdat dat beter was voor de misselijkheid. Onze moeder ging zelf achterin zitten, met de kaart en de routebeschrijving, tussen Karel en mij in, want nou had zij de langste benen. Ik zat op de overgeefplek, met Oude Simon op schoot en mijn benen tegen de cactusbenen van onze moeder aan. Het was maar goed dat we er bijna waren. Dat zei onze vader tenminste steeds.

Onze moeder kon niet zo goed kaartlezen als ze op de achterbank zat. 'Hier is niet genoeg ruimte om hem open te vouwen,' zei ze. Toen ze het toch probeerde prikte ze me steeds met haar ellebogen.

Omdat ze zo aan het hannesen was met de kaart zag ze de weggetjes die we moesten hebben steeds net iets te laat. En onze vader wilde niet omkeren en terugrijden, want omkeren was heel erg moeilijk met een aanhangwagentje, zei hij. 'Ik neem de volgende zijweg wel. Drie keer rechts is ook links.'

Maar in de bergen werkte dat blijkbaar niet, want na drie keer rechts liep het weggetje dood. Onze vader deed heel lang over het omkeren, maar achteruitrijden met een aanhangwagentje was nog veel moeilijker, zei hij.

We reden terug naar het weggetje dat we eigenlijk hadden moeten hebben.

'Híer moeten we in,' zei onze vader.

'Dat zei ik daarstraks ook al,' zei onze moeder.

Na een stukje rijden hield het asfalt op. Het weggetje werd behalve bochtig en bultig ook heel erg steil. We kwamen steeds hoger en hoger. Het karretje begon nóg harder te rammelen, maar onze vader zei dat hij nou niet meer ging stoppen om te kijken wat er was, want dat we er volgens hem nu toch bijna waren.

'Ja, dit paadje klopt precies met de routebeschrijving,' zei onze moeder.

Toen we bijna bovenop de berg waren, rammelde het karretje zich los en reed in zijn eentje een stukje terug. Gelukkig niet zo ver, want toen reed het van de weg af en botste tegen een boom. We stapten allemaal uit om te gaan kijken. Er was alleen een lampje stuk, maar dat gaf niks, zei onze vader, want het was toch licht buiten.

'Ja, nu nog wel,' zei onze moeder.

Karel en ik hielpen onze vader het karretje weer omhoog te duwen en onze vader maakte het weer vast aan de auto.

Na de volgende bocht moesten we alweer stoppen. De weg was veranderd in een grijze wollen rivier, die mekkerend en klingelend op onze auto af stroomde. Minutenlang waren we omgeven door schapen die grote bellen om hun nek hadden en tijdens het langslopen nieuwsgierig door de raampjes naar binnen keken en bèèè tegen ons riepen, terwijl ze zelf veel erger stonken dan wij. Achteraan liep een man met een stok die de schapen die treuzelden op hun wollen kont sloeg, en een hond die ze in hun achterpoten probeerde te bijten. Toen ze allemaal voorbij waren was de weg leeg, op een heleboel schapenkeutels na.

Na een klein stukje rijden, net toen Hobbel alweer kokhalsgeluiden begon te maken, zagen we het huisje. Er stond een boom voor die vol kersen hing en er zat een bordje aan de muur waar Le Paradis op stond.

'Zei ik het niet?' zei onze vader.

De liftster

In de routebeschrijving stond dat de sleutel van Le Paradis onder een steen lag. Daar lag hij ook, maar hij zat vol enge beesten en hij was ook een beetje roestig geworden, dus het duurde even voordat onze vader er de deur mee open kreeg. Intussen kon Hobbel mooi even overgeven.

Toen we erin konden ging onze moeder meteen de wc zoeken. Karel en ik keken even hoe onze vader een tas naar binnen droeg en verstrikt raakte in een gordijn van gekleurde plastic slierten dat in de deuropening hing. Daarna gingen we Le Paradis verkennen, terwijl Hobbel met Oude Simon onder de kersenboom zat en rijtjes maakte van de afgevallen kersen.

We waren snel klaar met verkennen, want het huisje was niet zo groot. Er was een keuken met een houten tafel en twee houten banken, een huiskamer met twee slaapbanken en een open haard, en een kamer met een tweepersoonsbed dat nog kleiner was dan het bed van kamer 602. En er was een kamer met een stapelbed. Alleen de badkamer konden we niet verkennen want daar was de wc en daar zat onze moeder op.

Karel en ik wilden net gaan ruziemaken over wie er bovenin het stapelbed mocht, toen onze moeder uit de wc kwam met een briefje in haar hand.

'Allemaal even luisteren,' riep ze. 'Dit hing op de wc-deur en het is heel erg belangrijk!' Ze las het briefje voor maar daar verstonden we natuurlijk niks van. Toen zei ze het nog eens in het Nederlands. 'Er staat dat je op deze wc alleen maar mag plassen. Anders raakt hij verstopt.'

'Waar moeten we dan poepen?' zei Karel.

'Buiten,' zei onze moeder. 'In de schuur moet een schepje hangen om kuiltjes mee te graven.'

'Niet te dichtbij het huisje graven graag,' zei onze vader. 'Doe het maar verderop, in dat veld of zo. En wel een stokje in de grond prikken als je klaar bent, dan weet een ander dat dat plekje al gebruikt is. Zullen dan we nu even met zijn allen het aanhangwagentje uitladen?'

'Wacht even, er staat nog meer,' zei onze moeder. 'Le Paradis is niet aangesloten op de waterleiding. Water moeten we zelf halen, beneden in het stadje, uit de fontein op het plein. Er staan jerrycans in de keuken.'

'Dat zal ik dan meteen maar gaan doen,' zei onze vader. 'Als het aanhangwagentje leeg is. Wie helpt er even mee?'

'Nog één ding,' zei onze moeder. 'De open haard mag niet aan, want er zitten vleermuizen in de schoorsteen.'

'Dat was het?' vroeg onze vader. 'Aan de slag dan maar, jongens!'

'Ik begin te begrijpen waarom dit huisje zo goedkoop is,' zei onze moeder.

'Maar het uitzicht is fenomenaal,' zei onze vader.

Daarna hield ik het sliertengordijn opzij terwijl Karel onze vader hielp met tassen dragen en onze moeder dat schepje ging zoeken.

Toen het karretje helemaal leeg was zette onze vader de jerrycans in de kofferbak van de auto. 'Ik ga water halen,' zei hij. 'Passen jullie op Hobbel?' Onze moeder was nog steeds niet terug van het poepveldje.

Hobbel kwam onder de kersenboom vandaan. 'Mee!' zei hij.

'Mee? vroeg onze vader. 'Zou je dat nou wel doen? Straks word je weer misselijk.'

'MEE!' zei Hobbel.

'Vooruit dan maar. Omdat je het zo vriendelijk vraagt,' zei onze vader. Oude Simon bleef bij ons.

Zodra ze weg waren probeerde Karel in de kersenboom te klimmen, maar de onderste tak zat net iets te hoog. 'Misschien staat er een ladder in de schuur,' zei ik. Maar we konden de schuurdeur niet open krijgen. 'Laten we dan de bedden maar gaan uitproberen,' zei Karel.

Het tweepersoonsbed veerde het beste, jammer genoeg moesten we eraf toen onze moeder binnenkwam. 'Ik ga even liggen,' zei ze. 'Ik voel me niet zo lekker. Ik heb een beetje diarree. En ik heb die schuur maar op slot gedaan, daar staan allemaal gevaarlijke dingen in.'

Ze lag nog steeds op bed toen Hobbel en onze vader terugkwamen, met het water én met het meisje met de pet en het kleine koffertje dat we langs de weg hadden zien staan.

'Dit is Eva,' zei hij. 'Ze komt ook uit Nederland. Toevallig, hè? Eva, dit zijn Carolina en Jacobina, mijn dochters.'

'Co,' zei ik.

'Karel,' zei Karel.

Eva gaf ons een hand maar ze zei niks.

'Ze stond nog steeds te liften toen we langskwamen. Toen hebben Hobbel en ik haar maar meegenomen. Hè, Hobbel?'

'Eva lief,' zei Hobbel. Hij klemde zijn armen om haar been heen en veegde zijn snotneus af aan haar spijkerbroek. Ze glimlachte naar hem.

'Eva blijft hier één nachtje slapen,' zei onze vader. 'Morgen breng ik haar naar de grote weg. Daar krijgt ze makkelijker een lift.'

Omdat onze moeder ziek was, zette Eva al het eten dat we van thuis hadden meegenomen in de keukenkastjes. En daarna ging ze koffiezetten voor onze vader en haarzelf. Voor ons maakte ze limonade van water uit een fles die ze bij zich had. Want het water uit de jerrycans moest je eerst koken voor je het kon drinken en warme limonade was niet lekker, zei ze.

'Wat doe je dat toch handig,' zei onze vader.

'Ik heb een tijdje in een hotel gewerkt,' zei Eva.

Onze moeder hoefde geen koffie. Ze hoefde helemaal niks, zei ze. Ze kwam alleen af en toe uit bed om met het schepje naar het poepveldje te gaan.

'Zal ik straks iets te eten voor ons maken?' vroeg Eva.

Dat vond onze vader een fijn plan.

Terwijl zij kookte en Hobbel keek, moesten Karel en ik onze vader helpen om onze tassen naar de huiskamer te dragen. Want Eva sliep vannacht met Hobbel in het stapelbed, zei hij. Dus wij moesten op de slaapbanken en we mochten niet zeuren, het was maar voor één nachtje.

Toen ik haar witte koffertje in de kamer met het stapelbed wilde zetten, griste Eva het snel weg. 'Dat doe ik zelf wel,' zei ze.

Na het eten moest Hobbel naar bed en Karel en ik moesten naar onze slaapbanken, ook al was het buiten nog hartstikke licht en waren we nog helemaal niet moe. Zelfs Karel viel niet meteen in slaap.

Onze vader en Eva zaten nog een hele tijd op het terras te praten. In onze kamer kon je ze heel goed verstaan. Hij vroeg of ze een leuke vakantie had en zij zei dat ze met haar vriend op vakantie was gegaan maar dat ze ruzie hadden gekregen en dat ze nu alleen verderging maar nog niet zo goed wist waarheen. Het was een tijdje stil. Daarna snoot ze heel hard haar neus.

'Hou je van kinderen?' vroeg onze vader.

Eva zei dat ze heel veel van kinderen hield. 'Vooral van zulke kleine als Hobbel. Dat zijn eigenlijk net dieren,' zei ze. 'Die hebben nog geen geheime gedachten.'

Toen stond onze vader op om de luiken van onze kamer dicht te doen en konden we niet meer horen wat ze verder zeiden.

Karel en ik staan vroeg op en gaan op verkenning uit

In het Zuiden zelf was het nog veel heter dan op weg ernaartoe.

Het duurde alleen even voordat Karel en ik dat doorhadden, want we werden de eerste ochtend heel vroeg wakker, en toen was het nog niet zo heet. Ik werd wakker van een geluid alsof er een hele kudde schapen voorbijkwam. Karel werd wakker toen ik de luiken openduwde om te kijken wat het was. Het was een hele kudde schapen die voorbijkwam. Dezelfde kudde als de vorige dag, alleen liepen ze nu de andere kant op. Behalve Karel en ik was iedereen erdoorheen geslapen, zodat we rustig samen de buurt konden gaan verkennen.

Maar eerst gingen we het schepje halen, een stokje zoeken en naar het poepveldje. De schuur zat op slot, maar het schepje lag bij de schuurdeur. We renden de grashelling achter het huisje af. Erachter lag een stuk grond met harde, kurkdroge roodbruine brokken zanderige aarde. Dat was het poepveldje. Als je er een kuiltje in probeerde te graven stortte dat steeds vanzelf weer in. Er stonden al een heleboel stokjes in het poepveldje, die waren zeker van gisteren, van onze moeder. De vliegen waren ook al wakker.

Daarna klommen we de grashelling weer op, legden het schepje terug en liepen om ons huisje heen naar de weg. We begonnen met het volgen van het spoor van verse schapenkeutels.

Toen we bij een zijpaadje kwamen zei Karel: 'Zullen we hier even ingaan?'

Ik knikte. Misschien mocht het niet, maar er was nog niemand wakker die dat tegen ons kon zeggen. 'Misschien zitten er wel slangen,' zei Karel.

Dus liepen we heel voorzichtig het paadje in, Karel voorop, maar slangen zagen we nergens. Wel hele grote mieren, die hun eigen paadjes hadden, waar je steeds overheen moest springen, anders kropen ze in je sandalen.

'Volgende keer doen we onze laarzen aan,' zei Karel.

Het paadje slingerde door de velden, vlak langs een boerderij met een stal die ontzettend naar schapen rook, en vandaar weer terug in de richting van Le Paradis. Het hield op aan de rand van een weiland met gras dat zo hoog was dat je er nog maar net overheen kon kijken. Overal tussen het gras stonden bloemen en helemaal aan de andere kant van het veld stonden twee grote kersenbomen. 'Daarachter ligt volgens mij ons poepveldje,' zei Karel.

We liepen dwars door het weiland naar de kersenbomen.

'Die zijn vast van een boer,' zei ik. 'Daar mag je niet in klimmen, denk ik.'

Gelukkig hoefde dat ook niet, want er lag een grote kei vlakbij de ene boom. Toen we daarop gingen staan konden we makkelijk bij de onderste takken. We plukten alle kersen waar we bij konden en gingen bovenop de kei zitten om ze op te eten. En daarna bleven we er nog een tijdje zitten, met onze rug naar het poepveldje, en keken naar het weiland met de bloemen. We gingen pas terug toen we bedachten dat onze vader en moeder en Hobbel nu ook wel wakker zouden zijn, en die Eva misschien ook wel.

Maar de enige die al wakker was, was Hobbel. Hij zat in onze kamer en plukte de pluisjes van de deken af. 'Ha!' zei

Hobbel. 'Kokodil!'

'KRRRRROkodil,' zei Karel.

'Krrrroo krrrroo drrrrril,' zei Hobbel.

'Ja hoor. Wat zullen we nu gaan doen?' vroeg ik.

'Skippyballen,' zei Karel. 'Op de grashelling achter het huisje.'

Karel en ik hadden allebei onze skippybal meegenomen naar het Zuiden, Hobbel heeft er geen want die is daar nog te klein voor volgens onze moeder. We deden wedstrijdje. Eerst gingen Karel en ik tegen elkaar. Ik won. Dat kwam doordat ik langere benen heb en ook een beetje doordat mijn skippybal beter skippiet dan die van Karel. De mijne is namelijk harder. Die van Karel blijft altijd een beetje zacht, hoe hard je hem ook oppompt. Dat komt doordat ik er een keer met een punaise een gaatje in geprikt heb toen Karel al sliep.

Toen mocht Hobbel op mijn skippybal, tegen Karel. Karel skippiede zo langzaam mogelijk zodat Hobbel het eerst onderaan de helling was. Hij kon namelijk best wel skippyballen. Hij wist alleen nog niet hoe je moest stoppen. Daardoor skippiede hij helemaal tot in het prikkeldraad. Toen was mijn skippybal nog veel lekker dan die van Karel. En Hobbels been bloedde, dus moesten we de grote mensen wel wakker maken, want het trommeltje met de pleisters lag bij onze ouders op de kamer.

Eva kwam ook meteen uit bed toen ze Hobbel hoorde huilen. Nu had ze haar pet niet op en haar haar zag er heel gek uit, bijna alsof ze het zelf met een nagelschaartje had afgeknipt. Als ik zulk raar haar had zou ik ook aldoor een pet dragen.

Onze moeder zei dat Hobbel nog geluk gehad had en dat we nooit meer van de helling af mochten skippyballen, maar dat gaf niks, want je kunt toch geen wedstrijden doen met één skippybal en de mijne deed het eigenlijk niet meer.

Omdat onze moeder zich nog steeds een beetje slapjes voelde maakte Eva het ontbijt klaar, en toen Hobbel zijn brood op had ging zij hem wassen en aankleden. Wij moesten van onze vader aan tafel blijven zitten, want hij wilde ons iets vertellen. Hij had namelijk gisteravond een fantastisch idee gekregen, zei hij, een idee dat wij vast ook allemaal geweldig zouden vinden. 'Vooral jij, schat!' zei hij tegen onze moeder. 'Ik heb aan Eva gevraagd of ze deze vakantie bij ons wil blijven. Om te helpen met koken en opruimen en om de kinderen bezig te houden. Voor kost en inwoning en wat zakgeld. Zodat jij eindelijk ook eens echt vakantie hebt, schat! Dan kunnen wij mooi met zijn tweeën een paar fantastische wandelingen in de natuur maken.'

'O,' zei onze moeder, 'maar...'

'En ze zei ja!' zei onze vader.

'Maar... maar... maar we kennen haar helemaal niet!' zei onze moeder.

'Het is een prima meid,' zei onze vader. 'Dat zie je toch meteen? Dol op kinderen ook. Ze heeft alleen een beetje luddevudduh, maar daar zijn kinderen een prima afleiding voor. Hobbel is nu al dol op haar!'

'Dus daarom is ze zo stil,' zei onze moeder. 'Mmmm... Ik zou eigenlijk wel wat tijd willen hebben om te lezen, deze vakantie. Ik heb een heel mooi boek bij me.'

'Wat is luddevudduh?' vroeg ik.

'Dat is een afkorting,' zei onze vader.

'Liefdesverdriet,' zei onze moeder. 'Dat krijg jij later ook. Weet je wat? Laten we het maar eens een weekje proberen.'

Na het ontbijt ging onze vader met onze moeder een fantastische wandeling in de natuur maken, terwijl Hobbel, Karel en ik bij Eva moesten blijven. Maar toen we klaar waren met het opruimen van de ontbijtboel, kwamen ze al weer terug. 'Jullie moeder is nog iets te slapjes om te wandelen,' zei onze vader. 'En bovendien is het daar inmiddels veel te heet voor. Morgen staan we veel vroeger op!'

Eva graaft een kuil en wordt boos

Maar de tweede avond gingen onze ouders en Eva ook weer heel laat slapen, omdat het 's avonds zo lekker afkoelde. Karel en ik moesten in de huiskamer slapen, dus moesten zij wel de halve nacht op het terras zitten. Toen wij net in bed lagen probeerden ze nog zachtjes te praten, maar na een poosje vergaten ze dat, of dachten ze dat we al sliepen, en gingen ze steeds harder praten en lachen. Soms lachten ze zo hard dat je het getsjirp van de krekels en het geritsel van de vleermuizen in de schoorsteen helemaal niet meer hoorde. Gelukkig lachten onze moeder en Eva nooit tegelijk.

Onze vader vroeg steeds aan Eva of ze hem nog een glaasje wijn wilde inschenken. Hij kon niet opstaan, zei hij, want hij had Oude Simon op schoot. Die vond zeker dat het 's avonds onder de kersenboom net iets te veel afkoelde.

En omdat ze zo laat naar bed gegaan waren, werden ze ook pas laat wakker. Ze sliepen alweer door de schapen heen. Toen zij opstonden begon het al weer heet te worden en toch wilden ze eerst nog uitgebreid ontbijten en koffiedrinken.

Daarna was het natuurlijk weer te laat om nog iets anders te doen dan in de schaduw te zitten en 'Wat is het toch heet hier in het Zuiden, hè?' tegen elkaar te zeggen. Dat vonden Karel en ik erg saai.

Wij waren al wakker sinds de schapen langskwamen. En hoe vroeger je opstaat, hoe langer de dag duurt. En hoe langer een dag in het Zuiden duurde, hoe saaier hij werd. Het was er nog saaier dan thuis toen iedereen uit de flat op vakantie was. Het enige wat er te doen was was in de schaduw zitten en lezen. Maar ik kende mijn bibliotheekboeken al ongeveer uit mijn hoofd, dus had ik daar echt geen zin meer in. En toen Karel en ik in de schaduw zaten zonder boek en een wedstrijdje deden hoeveel vliegen er op onze benen kwamen zitten als we helemaal niet bewogen, mocht dat weer niet van onze moeder, omdat vliegen vies waren. En ik had er al vijftien!

Hobbel had niet zoveel last van de warmte en de saaite als wij, want die deed op het heetst van de dag een middagdutje. 'Dat zouden jullie ook wel kunnen doen,' zei onze vader. Maar toen onze moeder zei dat we dan 's avonds nóg later naar bed zouden willen leek het hem toch niet zo'n goed idee.

De enige die nergens last van had was Oude Simon. Die lag in de schaduw van de kersenboom, alsof hij wel altijd in het Zuiden wilde blijven. Hij lag bovenop het karretje, opgerold op de nieuwe jas van onze vader. 'Het is hier toch te warm voor een jas,' zei onze vader, 'en thuis gaat hij wel in de was.' Het karretje stond daar zodat onze vader het lampje kon repareren voordat we teruggingen. Oude Simon sliep zelfs door het gekwetter van de vogels heen die boven zijn hoofd in de kersen pikten.

's Middags, toen het een heel klein beetje koeler werd, gingen onze vader en moeder samen met de auto naar het dorp om water te halen en boodschappen te doen. 'Het is alweer te warm om te wandelen,' zei onze vader. Eva bleef in het huisje om op Hobbel te passen, die nog steeds sliep, en om kersenjam te maken. Karel en ik wilden ook niet mee. We waren namelijk nog niet helemaal klaar met verkennen. We hadden de schuur nog niet gehad.

De deur van de schuur zat nog steeds op slot en de raampjes waren heel klein en zaten veel te hoog om doorheen te klimmen. Maar aan de achterkant zat een plank een beetje los en toen Karel die nog wat verder losgetrokken had, en de plank ernaast ook, konden we zo door het gat naar binnen kruipen. Het was eerst een beetje donker in de schuur, want de raampjes zaten aan de binnenkant helemaal vol spinnenwebben, maar na een poosje wenden onze ogen aan het donker en konden we zien dat er overal roestige apparaten stonden. Er was één barbecue bij, de andere leken allemaal op grasmaaiers, maar dan steeds een beetje anders. Er waren ook planken met oude jampotjes vol roestige spijkers erop, en plastic jerrycans met een doodshoofdje op het etiket. Er lag ook een hoop dun touw dat helemaal in de knoop zat. En overal zaten spinnen. Van die dunne doorzichtige met lange poten, maar ook hele dikke bruine met haren op hun lijf en hun poten en met van die rode oogjes. Het rook er naar het keukenkastje waarin onze moeder de aardappels bewaart. We eten niet zo vaak aardappels, want onze moeder houdt niet van aardappels schillen. Meestal bewaart ze ze tot er van die dikke witte sprieten aan komen en dan gooit ze ze weg.

Afgezien van de spinnen was het een perfect clubhuis voor onze geheime club.

'Laten we maar een nieuw wachtwoord verzinnen,' zei Karel. 'Het vorige kent iedereen, behalve Eva.'

'Dan moet het wel een beetje een ingewikkeld wachtwoord zijn, want anders verraadt Hobbel het meteen weer,' zei ik. Ik wilde diarree nemen en Karel wilde skippybal en toen we klaar waren met ruziemaken werd het schaapskudde.

'Dat kan Hobbel nooit uitspreken,' zei ik.

Daarna probeerden we het touw uit de knoop te peuteren, tot we ineens zagen dat die knopen erin hoorden omdat het eigenlijk een hangmat was. Die namen we mee naar buiten, naar de twee kersenbomen in het veld met het hoge gras, achter het poepveldje. Karel dacht dat de hangmat daar wel tussen paste. Dat was ook wel zo. Alleen stonden de bomen zo dichtbij elkaar dat de hangmat maar een heel klein stukje boven de grond hing als je er met zijn tweeën in ging zitten.

We zaten met zijn tweeën in de hangmat en lieten hem heen en weer schommelen.

'Schaapskudde. Wat zullen we nu gaan doen?' vroeg ik.

'Verdachte personen observeren,' zei Karel. Maar we konden maar twee verdachte personen verzinnen: de man die met zijn hond achter de schapen aan liep, en Eva.

'Laten we dan eerst Eva maar nemen,' zei Karel. 'Die is wel niet écht verdacht, maar er is hier gewoon niemand anders. En dan observeren we vanmiddag als de schapen terugkomen die man met die hond wel.'

'Goed,' zei ik.

We wilden net naar het huisje teruglopen om Eva te zoeken, toen dat niet meer hoefde omdat ze er zelf al aan kwam. Ze had het poepschepje in haar ene hand en haar kleine koffertje in de andere. We doken naar beneden. Ze zag ons niet, omdat de hangmat zo laag hing dat we bijna helemaal in het hoge gras verstopt zaten.

'Ze gaat poepen!' zei ik.

Karel zat ook al te gniffelen.

Eerst groef Eva een kuiltje. Nou ja, zeg maar gerust: een kuil.

'Die gaat wel een héle grote drol draaien,' zei Karel.

En ze bleef maar doorgraven met dat kleine schepje.

Hoe dieper de kuil werd, hoe harder Karel en ik moesten lachen. Ja, toen hoorde Eva ons natuurlijk. En ze vond het niet leuk om geobserveerd te worden als ze net wilde gaan poepen. Eerst keek ze heel geschrokken en daarna werd ze zo kwaad dat ik dacht dat ze ons wilde gaan slaan. Gelukkig kwamen toen onze vader en moeder net thuis. Die werden ook heel kwaad toen Eva vertelde dat wij haar zaten te beloeren bij het poepveldje. Voor straf moesten we twintig minuten heel goed luisteren terwijl onze vader ons van alles uitlegde over het respecteren van andermans privacy en over gastvrijheid. Daarna moesten Karel en ik daar nog maar eens heel goed over na gaan denken in onze kamer. In de huiskamer dus.

In plaats daarvan dachten wij na over Eva's koffertje en vroegen ons af waarom ze dat meenam als ze ging poepen.

'Kom mee, dan gaan we kijken wat erin zit,' zei Karel. 'Daar slaapt Hobbel wel doorheen.'

Het koffertje stond bovenop het bovenste stapelbed en het zat jammer genoeg op slot. Karel schudde het heen en weer. Er zat iets in wat rammelde. Karel dacht geld, ik dacht flesjes nagellak en zo. Net toen we weer van het bed af wilden klimmen kwam Eva binnen om te kijken of Hobbel al wakker was.

Ze werd nog kwader dan daarstraks op het poepveldje. Ze zei woorden die wij nooit mogen zeggen als we boos zijn en die Hobbel nog helemaal niet mag weten, en daarna ging ze onze moeder halen. Die legde ons uit dat 'vrouwen en grote meisjes PRIVACY nodig hebben als ze aan het POEPEN zijn!' En dat 'ze er soms behoefte aan hebben om hun beautycase op slot te doen!' Een beautycase, dat was zeker zo'n klein wit koffertje.

Daarna moesten we opnieuw naar onze kamer om na te denken. We zouden vanzelf wel een keer horen wanneer we er weer uit mochten, zei onze moeder. Dus van het observeren van die man met die hond kwam die middag niks meer.

We maken een fantastische wandeling

Karel en ik moesten 's avonds voor straf op onze kamer eten en we mochten er alleen uit om onze tanden te poetsen. Onze moeder bleef erbij staan om te kijken of we ze wel echt poetsten. Dat probeerden we zo vaak mogelijk over te slaan. Het is namelijk best eng om je tanden te poetsen met water waar je diarree van kunt krijgen. Ik was de hele tijd bang dat ik per ongeluk een druppeltje zou inslikken. 'Eva poetst haar tanden met water uit een fles,' zei ik. 'Waarom doen wij dat ook niet?' Maar onze moeder zei dat ze dat overdreven vond.

's Nachts droomde ik dat Karel en ik, terwijl Eva sliep, allemaal draadjes met stekkertjes in haar hoofd probeerden te steken om haar gedachten te kunnen lezen. Maar ze werd wakker voordat we klaar waren en toen we hard wegrenden kwam ze ons achterna en wilde ze ons slaan met het poepschepje.

Gelukkig werd ik wakker van de schapen voordat ze ons te pakken had. Karel was ook al wakker. Niemand had gezegd dat we 's morgens ook nog op onze kamer moesten blijven, dus we gingen snel naar buiten om de man met de hond te observeren. We liepen net zo lang achter ze aan tot we zeker wisten dat er niks verdachts aan ze was. Het enige wat ze deden was ervoor zorgen dat er geen schapen wegliepen, en eigenlijk deed vooral de hond dat. We bleven wel een flink eind achter ze, zodat ze ons niet zagen, want we wisten niet of schaapherders ook privacy nodig hadden. En je moet altijd voorzichtig zijn met vreemde honden, zegt onze moeder.

We waren net op tijd terug voor het ontbijt.

'Waar zijn jullie geweest?' vroeg onze moeder. 'En wie had gezegd dat jullie van je kamer af mochten?'

'We waren alleen maar even naar het poepveldje,' zei Karel snel.

Dus daarna moesten we een hele tijd onze poep ophouden. En eigenlijk was dat Eva's schuld.

Na het ontbijt moesten we voor straf onze vader helpen met water halen en boodschappen doen. 'Dan kunnen jullie hier tenminste geen streken uithalen,' zei onze moeder. Zelf bleef ze met Hobbel en Eva in het huisje. Ik vond het niet zo'n erge straf. Water halen was vast minder saai dan je in het huisje zitten vervelen.

Het water zat in de groten stenen fontein die midden op het plein van het stadje stond. In de fontein zwommen goudvissen en aan de zijkant zat een kraantje waar onze vader de jerrycans onder zette. Gelukkig pasten de goudvissen daar niet doorheen.

Toen we terugkwamen in Le Paradis lag Hobbel binnen te slapen en zat onze moeder op het terras te lezen.

'Waar is Eva?' vroeg onze vader.

'Géén idee,' zei onze moeder. Daarna keek ze weer in haar boek.

Net toen Karel en ik naar de schuur wilden gaan om een kromme spijker te zoeken waarmee we het slot van Eva's beautycase open konden peuteren, kwam ze haastig aanlopen met het poepschepje in haar hand.

'Zijn jullie nu al terug?' vroeg ze. Daarna ging ze Hobbel uit bed halen en moesten we van onze vader gezellig samen stokbrood gaan eten met kersenjam die Eva had gemaakt.

Na de lunch wilde onze moeder haar boek uitlezen en Hobbel wilde met Eva spelen. 'Dan gaan wij met zijn drieën een fantastische wandeling in de natuur maken,' zei onze vader tegen Karel en mij. 'En ik wil geen gezeur onderweg over zere tenen en moeie benen, dames!'

Onze wandeling begon bij het mierenpaadje waar Karel en ik al een eindje ingegaan waren. 'Ik ben erg benieuwd wat we allemaal te zien krijgen en waar we terechtkomen,' zei onze vader. Ik was ook erg benieuwd. We wandelen niet zo heel vaak met onze vader in de natuur. Alleen in de grote vakantie eigenlijk, de rest van het jaar heeft hij daar geen tijd voor.

Karel en ik wilden snel doorlopen want we hadden onze sandalen aan. Maar onze vader wilde halverwege stilstaan om samen met ons naar de mieren te kijken.

'Zulke grote mieren hebben we thuis niet,' zei hij. Pas toen hij vond dat we lang genoeg gekeken hadden hoe de mieren allemaal achter elkaar aan liepen en gezien hadden dat niet steeds dezelfde mier vooropliep maar dat ze elkaar steeds inhaalden, en we gezegd hadden hoe knap we het vonden dat ze al die paadjes hadden kaalgetrapt terwijl ze maar zulke kleine voetjes hadden, mochten we weer verder lopen.

Toen liep onze vader ineens veel harder door dan Karel en ik altijd doen, en we gingen ook veel verder dan wij geweest waren op onze verkenningstocht, helemaal tot bovenop de volgende berg. Daar wilde onze vader zelf ook wel even uitrusten. Het was er zo stil dat je alleen je eigen gehijg hoorde en je kon er heel ver kijken. Naar beneden, waar de veldjes allemaal een andere kleur hadden en als een geelbruine lappendeken over de heuvels lagen. Of naar boven, waar de lucht heel leeg en heel licht was.

Onze vader wees naar een berg aan de overkant. 'Kijk, daarboven is ons huisje. Zie je wel?' zei hij.

'O ja,' zei Karel. 'Daar zit mamma! Wat is ze klein zeg! En daar is het poepveldje!'

Ik zag ons huisje nergens, hoe goed ik ook keek. 'O ja,' zei ik ook maar.

Toen onze vader uitgerust was liepen we dwars door de velden weer terug. Van elke kersenboom waar we onderweg langskwamen plukte hij kersen voor ons. 'Anders eten de vogels ze maar op,' zei hij. De kersen waar een vogel aan gepikt had waren het zoetst, volgens onze vader, want vogels wisten dat precies.

Bij het huisje zat onze moeder nog steeds te lezen. Hobbel zat met Eva op het karretje Oude Simon te aaien. Toen Karel en ik erbij gingen zitten, stond Eva op en liep naar binnen. 'Luddevudduh,' zei onze vader. 'Niet op letten, dat gaat wel weer over.'

Ineens kreeg ik een idee. 'Zeg Hobbel,' zei ik, 'weet jij wat er in dat kleine koffertje van Eva zit?'

Hobbel knikte enthousiast en legde zijn vinger op zijn lippen. 'Sssshhhhh,' zei hij.

'Is het geheim?' vroeg ik.

Hobbel knikte nog harder en zei nog harder 'sssssshhhhhh!' zodat hij er een beetje bij spuugde.

'Toe nou, zeg het nou,' zei ik.

'Kopendoos!' zei Hobbel. 'Sssssssssshhhhhhhhh! Geim!'

'Hoor je dat? zei onze vader. 'Hij praat echt!'

Ik hoorde het ook, maar wat had je eraan dat Hobbel echt praatte als hij onzin uitkraamde? Ik geloofde er namelijk geen snars van dat Eva op vakantie een knopendoos bij zich had.

We gaan naar het zwembad

De volgende dag was het nog warmer. Onze moeder had haar boek uit maar onze vader vond het te warm om te wandelen. 'Eigenlijk is het zelfs te warm om water te halen,' zei hij.

'Dan doe ik dat vandaag wel,' zei onze moeder. Karel en ik moesten alweer mee.

Dus bleef onze vader bij Hobbel en Eva.

Toen onze moeder de goudvissen gezien had ging ze daarna meteen flessen met water kopen. En ze deed de jerrycans maar halfvol. 'Anders ga ik door mijn rug als ik ze in de auto til,' zei ze.

Ze nam ook een hele andere weg terug dan onze vader. Die van haar duurde een stuk langer en we kwamen ineens langs het zwembad. Ik was alweer helemaal vergeten dat dat er was.

'Het zwembad! Laten we daar vanmiddag heen gaan!' zei Karel.

'Misschien morgen,' zei onze moeder. Die houdt niet zo van zwembaden, zelfs niet als het zo heet is. 'Al die gillende kinderen, daar krijg ik koppijn van,' zegt ze altijd.

Dus bleven we de rest van de weg doorzeuren, zelfs toen ze kwaad werd, en het hielp.

'Alleen als jullie vader ook meegaat,' zei ze. 'Anders doe ik niks anders dan Hobbel in de gaten houden.'

Onze vader wilde alleen mee als Eva ook meeging. Eva wilde eigenlijk niet, maar onze vader bleef ook doorzeuren. 'Doe niet zo ongezellig,' zei hij.

'Ik houd niet van zwemmen,' zei Eva.

'Dan blijf je maar aan de kant zitten. Jij moet er ook even uit, anders ga je hier maar in je eentje zitten piekeren.'

'Van dat geschitter van de zon op het water krijg ik migraine,' zei Eva.

'Dan zet je je zonnebril maar op,' zei onze vader.

'Eva mee! Eva MEE!' zei Hobbel.

Toen ging ze mee. Met haar zonnebril op en met de klep van haar pet zo ver mogelijk naar beneden getrokken. Ze zat met Hobbel op schoot tussen Karel en mij op de achterbank en ze zag eruit alsof ze het het heetst had van ons allemaal.

In het zwembad stikte het van de wespen, het water was ijskoud en Hobbel was de enige met zwemvleugeltjes om. Hij probeerde ze nog stiekem van zijn armen af te schuiven, maar onze moeder had ze zo strak opgeblazen dat dat niet ging. Zij ging met Hobbel in het kikkerbadje, Karel en ik gingen met onze vader in het diepe en Eva paste op de handdoeken, zodat die niet gestolen werden.

Toen we allemaal klappertandend terugkwamen ging Eva ijsjes voor ons halen en onze vader deed Hobbels vleugeltjes af, ook al zei onze moeder dat ze dat geen goed idee vond.

'Dan houd je hem ook maar zelf in de gaten,' zei ze en ze ging op haar rug liggen en legde haar arm over haar ogen tegen de zon.

'Alsof Hobbel zomaar weg kan wandelen,' zei onze vader. 'Nou, die komt niet ver als niemand hem draagt, hoor.' En hij draaide zich om en keek waar Eva bleef met de ijsjes.

Karel en ik keken naar een wesp die steeds bijna op de rug van onze vader ging zitten en dan toch weer niet en toch weer bijna wel. Daarom dacht ik eerst dat onze moeder door een wesp gestoken was toen ze ineens begon te gillen. Maar ze had stiekem haar arm opgetild om naar Hobbel te gluren.

En Hobbel was weg. Alleen zijn vleugeltjes lagen er nog.

We sprongen allemaal op om Hobbel te gaan zoeken, maar daar kwam Eva al aanlopen, zonder zonnebril, zonder pet, zonder ijsjes, en drijfnat. Maar met Hobbel.

'Hobbel wemme!' zei Hobbel. 'Eva ook wemme!'

'De ijsjes liggen nog in het diepe,' zei Eva. Haar kleren zaten met allemaal kleine kreukeltjes aan haar buik en haar rug vastgeplakt zodat je heel goed kon zien hoe dun ze was. Onze vader zei dat Hobbel veel belangrijker was dan de ijsjes.

'Dat had je dan wel eens EERDER mogen bedenken,' zei onze moeder en begon de handdoeken in een tas te proppen. Zo kort waren we nog nooit in een zwembad geweest.

Onze vader reed zo hard terug naar het huisje dat hij het goede zijweggetje voorbijreed. Toen hij stopte om te keren deed onze moeder snel de autodeuren open. Ze duwde Hobbel, Karel en mij naar buiten en zei: 'Hier heb ik geen zin in. Je rijdt als een gek. Ik ga verder wel lopen met de kinderen.'

'Stel je niet zo aan,' zei onze vader. 'Er is toch niets gebeurd?'

Maar onze moeder deed alsof ze hem niet hoorde.

'Dag, pap,' zei ik.

'Dag, jongens,' zei onze vader. 'Tot straks. Pas goed op jullie moeder.'

'Dag, Eva,' zei Karel.

Toen smeet onze moeder de deuren van de auto dicht en begon te lopen. Onze vader reed zo hard weg dat de steentjes ervan omhoog sprongen.

Het was nog een heel eind lopen naar het huisje, vooral omdat onze moeder geen kortere weggetjes binnendoor durfde te nemen omdat ze bang was dat we dan zouden verdwalen. En jammer genoeg hadden we geen drinken bij ons. En Hobbel liep veel langzamer dan wij. Na een tijdje liep hij zelfs helemaal niet meer en moest onze moeder hem dragen. Toen ging het nog langzamer.

Toen we eindelijk bij het huisje kwamen zat onze vader op het terras. 'Eva ligt op bed,' zei hij, 'ze heeft migraine.'

'Ik ook,' zei onze moeder en ging naar binnen. Daarna maakte onze vader limonade van het flessenwater dat onze moeder gekocht had, ging met ons skippyballen en maakte helemaal alleen brood met gebakken ei voor ons toen het tijd was voor het avondeten.

Nadat hij ons in bed gestopt had, zei Karel: 'Toch wel gaaf van die Eva, dat ze Hobbel uit het diepe gehaald heeft.'

'Ja, eigenlijk wel,' zei ik.

Pas toen Karel allang in slaap gevallen was, kwam onze moeder ook op het terras zitten. Haar hoofdpijn was blijkbaar weer over, en haar boze bui ook, want ze maakte weer gewoon ruzie met onze vader over Hobbel, net alsof we niet op vakantie waren.

Eva wordt lid van de geheime club

De volgende dag was het nog warmer en gingen onze vader en onze moeder samen naar het stadje om water te halen en om ruzie te kunnen maken zonder ons erbij. Karel, Hobbel en ik moesten met Eva in Le Paradis blijven.

'Schaapskudde,' zei Karel tegen mij toen ze weg waren. 'Mag Eva ook lid worden van onze club?' Hoe meer mensen er lid zijn van onze club, hoe gezelliger Karel het vindt.

'Oké,' zei ik, maar Eva wilde alleen ergens lid van worden als Hobbel ook mee mocht doen.

'Alleen als hij deze keer het wachtwoord niet verraadt,' zei ik.

'Dat regel ik wel,' zei Eva. 'Wat is het wachtwoord?'

'Schaapskudde,' zei Karel.

'Zeg eens schaapskudde?' zei Eva tegen Hobbel.

'Gaap,' zei Hobbel. 'Kudde.'

'Goed zo,' zei Eva. 'Schaapskudde. Daarna legde ze haar vinger op haar lippen en zei: 'En mondje dicht! Ssssst!'

'Sssssshhhhhh,' zei Hobbel enthousiast en spuugde alle kanten op.

We lieten Hobbel en Eva de ingang van ons clubhuis zien. Het was wel handig dat Eva zo dun was. Nu hoefden we niet nog een plank los te trekken. Binnen pakte ze een jampotje met oude schroefjes en gaf dat aan Hobbel. Terwijl hij alle schroefjes die even groot waren bij elkaar op een hoopje legde, legden Karel en ik aan Eva uit van wat voor soort geheime club ze lid geworden was.

'We observeren verdachte personen,' zei ik.

'En we gaan op verkenning uit,' zei Karel.

'En onze ouders mogen er niks van weten,' zei ik.

Eva snapte het meteen, ook al had ze nog nooit bij zo'n club gezeten. 'Ik heb geen broers of zusjes,' zei ze. 'En ik had ook geen vriendinnen vroeger. Ik woonde nergens lang genoeg, denk ik.'

'Gingen je vader en moeder dan zo vaak verhuizen?' vroeg Karel.

Eva zei dat ze dat niet wist. 'De eerste keer dat ze gingen verhuizen namen ze mij niet mee. En toen was ik nog heel klein, dus daar weet ik niks meer van.'

'Was je toen helemaal alleen?' vroeg Karel.

'Nee hoor, toen kreeg ik een andere vader en moeder,' zei Eva. 'En daarna weer een andere. En daarna weer. Tot niemand me meer wilde hebben. Toen kwam ik in een huis met allemaal kinderen zonder vader en moeder. En toen ik daar te oud voor was kreeg ik een zolderkamer in de stad met een deur die op slot kon en een baantje en een eigen girorekening en elke maand een heel klein beetje geld. Helemaal voor mezelf.'

'En toen?' vroeg Karel.

'Toen ging ik op vakantie en werd ik lid van een geheime club!' zei Eva. 'En nu gaan we Hobbel helpen.'

We hielpen Hobbel met het sorteren van de schroefjes en toen we klaar waren ging Eva hem in bed stoppen voor zijn middagslaapje. Karel en ik gingen mee voor de gezelligheid.

'Vertel je ons een verhaaltje?' vroeg Karel toen we Hobbel hadden ingestopt en met zijn allen op het onderste stapelbed zaten te kijken hoe hij probeerde wakker te blijven.

'Ik ken geen verhaaltjes,' zei Eva.
'Verzin er dan eentje.'
'Waarover?' vroeg Eva.
'Over luddevudduh,' zei ik.
Daar moest Eva eerst over nadenken. 'Er was eens een meisje dat heel erg rijk en beroemd wilde worden,' begon ze. 'En omdat ze zelf niks kon waarmee je rijk en beroemd kon worden, ging ze op zoek naar een man die al rijk en beroemd was. Om mee te trouwen, want dan word je vanzelf zelf ook heel rijk en beroemd.'
'Slim, zeg,' zei ik.
'Omdat rijke en beroemde mensen in grote dure hotels vol kroonluchters logeren, ging ze in een chic hotel werken als kamermeisje. Dan wordt er na een tijdje vanzelf wel een rijke beroemde man verliefd op me, dacht ze. Maar de kamermeisjes mochten alleen op de kamers komen als de gasten er niet waren. Dus ze kwam alleen rijke haren tegen, die ze uit het putje van de douche moest plukken. En beroemde klodders tandpasta die ze van wastafels af moest krabben. En de enige die verliefd op haar werd was de manager van het hotel. Die werd zelfs zo verliefd op haar dat hij 's nachts de kluis van het hotel openmaakte, waar alle dure sieraden van de rijke en beroemde gasten in bewaard werden, en haar ermee versierde. Zo ging dat een tijdje door. Overdag maakte het meisje bedden op en leegde ze prullenmanden, en 's nachts droeg ze parels en diamanten en luisterde ze naar de verliefde praatjes van de hotelmanager. Het was best leuk, vooral 's nachts, maar rijk en beroemd werd ze er niet van.
En op een nacht kreeg ze overal zo verschrikkelijk genoeg van, van die doucheputjes en die verliefde praatjes en vooral van al die rijke en beroemde mensen die haar nooit zagen staan, dat ze er zomaar ineens vandoor ging toen de

manager in slaap gevallen was. Uit.'

'En het luddevudduh dan?' vroeg Karel.

'O ja,' zei Eva. 'Zie je wel, ik ben niet goed in verhaaltjes. Die hotelmanager bleef achter met een heleboel luddevudduh. En het meisje leefde nog lang en gelukkig.' Ze stond op. 'Zachtjes, Hobbel slaapt,' zei ze.

Het duurde heel lang voor onze vader en moeder thuiskwamen met het water.

'We hebben op een terrasje gezeten en de tijd vergeten,' zei onze vader.

'Hoe was het hier?' vroeg onze moeder.

'Hartstikke gezellig!' zeiden Karel en ik tegelijk.

En Eva keek zo blij dat ze er haast mooi van werd, ook al had ze van dat rare haar en was ze zo mager.

We begraven Oude Simon en vinden een schat

De volgende dag was het zo warm dat zelfs onze moeder naar het zwembad wilde, op voorwaarde dat onze vader zou beloven dat hij van Hobbels vleugeltjes zou afblijven. Alleen Eva bleef thuis. Zelfs toen Hobbel het vroeg wilde ze niet mee.

Maar het zwembad was dicht. De bakker was ook dicht. Het hele dorp was dicht, alleen de fontein deed het nog, dus we vulden onze jerrycans en reden terug naar het huisje. Halverwege de berg zette onze vader de auto stil en wees naar beneden. 'Kijk!' zei hij. Zeker weer een mooi uitzicht, dacht ik, of iets wat ver weg is en wat iedereen ziet behalve ik. Maar nee, op een pad tussen de velden liep, duidelijk zichtbaar, een optocht. Het was een hele lange optocht, van mensen die heel langzaam liepen. Zeker omdat het zo heet was. We stapten uit om het beter te kunnen zien. 'Kom op,' zei onze vader, 'daar lopen we even naartoe om te kijken.'

Het was toch verder weg dan het eerst leek, maar onze vader droeg Hobbel op zijn schouders, dus hij kon niet zo snel lopen als anders. De optocht kwam nog langzamer vooruit dan wij. Voorop liep een man met een houten kruis die helemaal niet opschoot. Het kruis was vast heel zwaar, hij zweette tenminste heel erg.

'Is dat Jezus?' vroeg Karel. Dat wou ik ook net vragen.

'Dat is niet echt hoor,' zei onze moeder.

'Het is een processie,' zei onze vader. 'Dat heb je bij ons niet.'

We keken hoe de man die Jezus speelde voorbij sjokte met het kruis.

'Zullen we erachteraan lopen, of willen jullie liever terug naar het huisje?' vroeg onze moeder.

Karel wilde liever terug en ik ook. Ik kende het verhaal van Jezus wel en ik hoefde niet te zien hoe het afliep.

Eva stond al naar ons uit te kijken. Ze liep meteen op onze vader af.

'Kom snel!' zei ze. 'Het gaat niet goed met Oude Simon.'

We liepen achter haar aan naar de keuken. Oude Simon lag op de vloer, op de nieuwe jas van onze vader. Hij lag op zijn zij. Toen hij onze vader zag probeerde hij op te staan, maar zijn achterpoten en het laatste stukje van zijn rug bleven gewoon liggen. Dat zag er heel zielig uit. Hij miauwde. Dat klonk heel zielig. Nog zieliger dan anders.

Ineens begon het heel erg te stinken. 'Poep!' zei Hobbel.

Oude Simon jankte nu nog harder. Toen onze vader naast hem op de grond ging zitten en heel zacht tegen hem begon te praten, duwde Eva Karel, Hobbel en mij zachtjes de keuken uit. Onze moeder bleef binnen.

'Hij is aan het doodgaan zeker?' vroeg Karel.

'Ja, dat denk ik wel,' zei Eva.

We wachtten buiten op het karretje tot Oude Simon helemaal dood was. Dat duurde nog best lang. Pas na een hele poos kwam onze moeder door de gekleurde slierten naar buiten lopen.

'Komen jullie maar binnen,' zei ze. 'Het is afgelopen'.

Ze hadden Oude Simon op een schone handdoek gelegd, bovenop de keukentafel. Hij had zijn ogen dicht en hij bewoog helemaal niet meer.

'Aai hem nog maar even,' zei onze moeder. 'Ik heb hem schoongemaakt.' Nu zijn haren nat waren kon je pas goed zien hoe mager Oude Simon was geworden.

We aaiden hem allemaal nog even. Toen vouwde onze vader heel voorzichtig de handdoek dicht.

'Misschien had ik hem toch niet mee naar het Zuiden moeten nemen,' zei hij. 'Misschien is deze reis te veel voor hem geweest.'

'Dan was hij vast thuis doodgegaan, schat,' zei onze moeder. 'Zonder ons. Zonder jou. Helemaal in zijn eentje!'

'En Oude Simon hield best van autorijden,' zei ik. 'Zolang hij maar bij mij op schoot zat. Hij werd tenminste nooit misselijk, zoals Hobbel.'

'Misschien kon hij niet tegen die hitte hier,' zei onze vader.

'Daar had hij anders helemaal geen last van,' zei Eva. 'Hij lag toch altijd in de schaduw? Hij heeft het hier juist geweldig naar zijn zin gehad.'

'Denken jullie heus?' vroeg onze vader en snoot zijn neus.

We knikten allemaal.

'Hij was gewoon oud en oude poezen gaan nu eenmaal een keer dood,' zei onze moeder.

Onze vader zuchtte. 'Wat nu?' zei hij. 'Waar zullen we hem begraven?'

'Bij de kersenbomen achter het poepveldje,' zei Karel meteen. 'Daar is een heel mooi plekje.'

Toen kreeg Eva zo'n ontzettende hoestbui dat onze moeder haar op haar rug moest kloppen.

Onze moeder haalde het poepschepje en toen liepen we met zijn allen naar het bosje achter het poepveldje. Onze vader voorop, heel langzaam. Hij droeg de handdoek met Oude Simon erin in zijn armen, alsof het een baby'tje was dat niet wakker mocht worden. Onze moeder liep achter hem met het poepschepje. Daarachter kwamen Karel en ik met Hobbel tussen ons in. Hij liep het hele stuk zelf. Helemaal achteraan liep Eva. Ze liep het langzaamst van ons allemaal en ze keek alsof ze naar een echte begrafenis ging.

Toen we het poepveldje overstaken zoemden de vliegen ons oorverdovend tegemoet. Misschien hoopten ze dat we allemaal tegelijk kwamen poepen.

Achter het poepveldje, in het weiland met het hoge gras, stonden de twee kersenbomen die Karel bedoelde. 'Dit is inderdaad een heel mooi plekje,' zei onze vader.

'Als we nou die kei daar eens omkieperen,' zei onze moeder, 'en daar het graf graven. Dan leggen we hem er na afloop weer op.' Onze vader knikte treurig.

Hij bleef met Oude Simon in zijn armen staan, terwijl onze moeder samen met Karel de kei omvertrok en het poepschepje in de kale grond stak. De kleine beestjes die altijd onder keien wonen schoten alle kanten op.

'Dat gaat makkelijk,' zei ze. 'De grond is hier hartstikke los.'

Maar na een poosje kreeg ze het schepje ineens niet goed de grond meer in. 'Er zit hier iets hards,' zei ze.

'Zeker een steen,' zei onze vader. 'Laat mij het maar even doen.'

Hij legde Oude Simon voorzichtig een eindje verderop in het gras, ging op zijn knieën bij het gat zitten dat onze moeder al gegraven had en prikte het poepschepje in de bodem. Het gat was al bijna diep genoeg.

'Het is geen steen,' zei hij. 'Het is zachter.' Hij stak zijn hand in het gat, begon in de aarde te wroeten en trok iets omhoog wat heel vies was maar verder sprekend op Eva's beautycase leek.

'Kopendoos!' riep Hobbel.

Iedereen keek naar Eva maar Eva keek niet terug. Het leek net alsof ze in slaap gevallen was zonder haar ogen dicht te doen. Alsof ze zichzelf had uitgezet. Je kon wel merken dat ze heel veel privacy nodig had, als ze haar beautycase helemaal begraven had zodat Karel en ik er niet in zouden kijken.

'Schaapskudde,' zei Karel. 'Wij zullen echt niet in je koffertje kijken, Eva. Erewoord.'

'Ja. Erewoord, Eva,' zei ik. 'Wij respecteren je privacy.' Dat had ik onthouden van dat verhaal van onze vader.

Maar onze moeder respecteerde Eva's privacy helemaal niet. 'Maak open dat ding!' zei ze tegen onze vader. En toen onze vader het koffertje niet open kreeg, raapte onze moeder het poepschepje op en sloeg er zo hard mee tegen het slotje dat het lossprong. Het deksel klapte open. Nu zag ik voor het eerst een beautycase aan de binnenkant. Eigenlijk wilde ik niet kijken, ik had immers erewoord gezegd. Maar ik deed het toch. We keken allemaal. Aan de binnenkant van de deksel zat een piepklein spiegeltje waarin je de takken van de kersenboom kon zien. Helemaal bovenop in de beautycase lag het armbandje van Karel.

'Ik wist niet dat je dat alweer kwijt was, Carolina,' zei onze moeder.

Daaronder lagen nog veel mooiere sieraden. Ze leken wel van goud en ze zaten vol glimmende steentjes die eruitzagen als de stukjes glas aan de lampen in het hotel, maar dan veel kleiner en veel glimmender. Er was ook een ketting met kralen van parelmoer.

'Hoe... wat... van wie...?!' vroeg onze vader.

Hij stak Eva met een verbaasd gezicht de beautycase toe. Eva reageerde niet.

'Geef die maar aan mij,' zei onze moeder en ze greep de beautycase beet.

'Maar...' zei onze vader. En hij probeerde hem weer aan Eva te geven.

Heel even stonden onze ouders samen aan Eva's beautycase te trekken. Net toen onze vader het opgaf, liet onze moeder ook los en viel de beautycase terug in het gat waaruit hij zojuist gekomen was. En alles wat erin zat viel eruit.

'O jee!' zei onze vader. 'Sorry, Eva!'

Eva haalde diep adem, maar ze zei niks terug. In plaats daarvan draaide ze zich om en rende weg.

Eva ontsnapt

We keken van de kuil met de glimmende sieraden erin naar Eva, die door het hoge gras rende. Weg van Oude Simons begrafenis, weg van dat gat in de grond waarin onze vader per ongeluk haar beautycase had leeggekieperd, weg van Hobbel, Karel en mij. En na een paar passen was ze ineens verdwenen, alsof ze was opgeslokt door de grond.

Karel begreep het eerst wat er gebeurd was. 'De hangmat!'

Onze vader en Hobbel bleven bij Oude Simon, maar ik rende samen met Karel en onze moeder naar de plek waar Eva op de grond lag, ze was gestruikeld over de hangmat die nog steeds vlak boven de grond tussen de kersenbomen hing.

We waren er bijna toen ze alweer overeind krabbelde en verder rende, het poepveldje op. Ze rende zo hard dat ze wel zes stokjes omver trapte en onze moeder rende gewoon achter haar aan en haalde haar langzaam maar zeker in. Vlakbij het huisje kon ze Eva bij haar arm grijpen.

'Ik snap hier niks van, jongedame,' zei onze moeder. 'Maar de politie misschien wel.'

En daarna duwde ze Eva het huisje binnen en sloot haar op in onze kamer. Karel deed onze luiken aan de buitenkant dicht.

Onze vader kwam aanlopen met Hobbel. Ze hadden Oude Simon achtergelaten bij de kuil, maar wel Eva's koffertje meegenomen. Het deksel kon niet meer dicht, maar de juwelen zaten er weer in en ze glommen nog steeds, ook al zaten ze vol met aarde.

'Dit is een zaak voor de politie,' zei onze moeder. 'Dat spul is vast gestolen.'

Dat dacht onze vader ook.

Omdat er geen telefoon was in het huisje, wilde onze vader met de auto naar het stadje rijden om de politie te waarschuwen. Hij had de autosleutels al in het contact gestoken toen Karel 'wacht!' riep. 'We kunnen ook over het mierenpaadje naar die boerderij rennen, daar hebben ze vast wel telefoon en dat gaat veel sneller!'

Dat vond onze moeder een goed idee. 'Karel en ik gaan erheen,' zei ze. 'Jullie blijven hier en bewaken de luiken.'

En weg waren ze. Maar onze vader vond het onzin om Eva te bewaken. 'Die oude boerderijtjes zijn zo stevig als wat, daar komt ze nooit uit,' zei hij. Ik luisterde nog even aan de dichte luiken, maar ik hoorde geen enkel geluid.

'Kom, we gaan kersen eten en dit spul een beetje schoonmaken,' zei onze vader en wees op de beautycase.

We liepen om het huisje heen naar het karretje onder de kersenboom. Het zag er leeg uit zonder Oude Simon erop. Onze vader plukte de kersen, Hobbel en ik aten ze op. Maar na een tijdje had ik er genoeg van om met zijn drieën op het karretje te zitten, parels te poetsen en diamanten op grootte te sorteren. Daarom ging ik even skippyballen op Karels skippybal. Toen ik voor de zesde keer de grashelling afgeskippied was en weer naar boven wilde klimmen, zag ik iets geks uit de schoorsteen van ons huisje komen: allemaal zwarte fladderende dieren, die wel wat op vogels leken maar het niet waren. Dus zo zagen vleermuizen eruit! Daarna kwam er iets nog veel gekkers naar buiten: een magere zwarte gedaante die uit de schoorsteen klom en zich van het dak af naar beneden liet glijden.

Ik rende naar boven om onze vader te waarschuwen, maar voor ik halverwege de helling was, was de gedaante al naar onze auto gerend en had de motor gestart. Toen kreeg onze vader zelf ook in de gaten dat Eva ontsnapt was, maar het enige wat hij deed was midden op de weg staan en naar de bocht kijken waarachter Eva verdwenen was. Toen ik boven kwam hoorde je de auto al niet eens meer.

'Ze is weg,' zei onze vader verbaasd.

'En onze auto ook,' zei ik.

Ik wilde net 'wat zal mamma nou kwaad worden,' zeggen, toen ik iets in de verte hoorde: geklingel en zacht geblaat. 'Snel!' riep ik. 'De schapen komen terug! Rennen!'

Onze vader keek me aan alsof hij er niks van snapte, maar hij rende toch met me mee de weg af, de bocht om. Zelfs Hobbel rende achter ons aan.

Het was precies zoals ik gedacht had: voorbij de bocht was de weg vol schapen, en midden tussen die schapen stond onze auto. Muurvast. Erin zat Eva, nog viezer dan Hobbel ooit geweest was. Ze had de motor uitgezet en leunde voorovergebogen op het stuur, haar gezicht op haar armen. Achter de kudde reed stapvoets een politieauto.

Onze vader worstelde zich tussen de schapen door, stak zijn arm door het autoraampje naar binnen en haalde het sleuteltje uit het contact. De agenten wachtten met uit hun auto stappen tot de kudde voorbij was. De ene liep met een stel handboeien naar onze auto toe. Hij kwam me heel bekend voor, maar ik wist niet meer waarvan. Eva stapte ook uit, stak haar armen uit naar de handboeien en ging uit zichzelf op de achterbank van de politieauto zitten. Er liepen twee witte kronkellijntjes over haar zwarte wangen. De andere agent ging met onze vader naar ons huisje om de beautycase te halen.

Toen kwam Karel aanrennen. Onze moeder kwam er ook aan, maar die liep veel langzamer. De agent die me zo bekend voorkwam zwaaide naar haar.

'Zijn handen! Moet je zijn handen zien!' zei Karel.

'Wat is daar dan mee?' vroeg ik.

'Er zitten helemaal geen gaten in!'

Ineens wist ik ook weer wie het was: die man die voor Jezus speelde in de processie.

'Hij heeft nog geen schrammetje,' zei ik. 'Misschien is het niet doorgegaan.'

'Of ze doen het niet met echte spijkers,' zei Karel.

Dat kon natuurlijk ook.

Toen de agenten wegreden zwaaiden Karel, Hobbel en ik naar Eva. Ze kon niet terugzwaaien door de handboeien, maar ze kéék wel terug.

'Zullen we dan nu de begrafenis van Oude Simon eindelijk eens gaan afmaken?' zei onze vader. We liepen terug naar het gat onder de kersenboom, waar Oude Simon in zijn handdoek op ons lag te wachten.

We gaan naar huis toe

Nu Eva er niet meer bij was veranderde alles. Karel en ik kregen de kamer met het stapelbed, Karel mocht boven. Hobbel sliep op een matrasje bij ons op de grond. We konden de huiskamer weer gebruiken als huiskamer. Alleen deden we dat niet, want niemand had zin om gezellig te gaan zitten in de kamer waarin we Eva hadden opgesloten toen ze weg wilde lopen.

We gingen elke dag naar het zwembad en Hobbel moest de hele tijd zijn vleugeltjes omhouden, want nu was Eva er niet meer bij om hem te redden.

Als de schapen 's morgens kwamen namen Karel en ik Hobbel mee om achter ze aan te lopen en een bosje verse bloemen voor op het graf van Oude Simon te plukken.

's Avonds deden onze vader en moeder samen de afwas en daar maakten ze maar heel weinig ruzie bij. En Karel en ik speelden verstoppertje met Hobbel wanneer hij daar zin in had.

Alleen bleef Hobbel maar vragen: 'Eva nou? Eva nou?'

Onze moeder probeerde het uit te leggen. 'Eva is mee met de politieauto,' zei ze.

'Róm dan?' vroeg Hobbel door.

'Eva is stout geweest,' hielp onze vader. 'Heel stout.'

Hobbel schudde nee. 'Eva LIEF,' zei hij. 'Eva hélief.'

Toen gaven ze het op.

Karel probeerde het ook nog: 'Hoe kwam ze aan al die sieraden?'

'Die heeft ze gestolen, denk ik,' zei onze moeder. 'Net als jouw armbandje.'

'Nou, dat mocht ze best hebben, hoor,' zei Karel. 'Ik hoef het niet.'

Ik vroeg maar niks, zelfs niet aan Karel. Die wist vast ook niet wie Eva nu echt was: een lid van onze geheime club of een juwelendief op de vlucht. En of we haar mochten missen.

Ik luisterde gewoon naar wat onze ouders 's avonds op het terras tegen elkaar zeiden, als ze dachten dat wij al sliepen. Ze maakten nu geen ruzie meer over Hobbel, maar over Eva en dat was ongeveer even slaapverwekkend. Onze vader zei steeds dat je nooit zeker wist wat er in een ander omging, en onze moeder zei dat dat dan kennelijk een kwestie van vrouwelijke intuïtie was want dat zij altijd al geweten had dat er iets niet deugde aan dat kind. En dan vroeg onze vader weer waarom ze dat dan niet eerder gezegd had en dan zei onze moeder dat dat weinig zin had als er toch niet naar je geluisterd werd.

Dus daar had ik ook niks aan.

Toen de vakantie eindelijk voorbij was gingen we weer naar huis. De laatste avond pakten onze vader en moeder samen het karretje in, hier was niemand om onze kleren te stelen, zeiden ze. En we moesten heel vroeg naar bed want we zouden heel vroeg wegrijden, als het nog niet zo warm was. Dus voor één keer stonden we allemaal tegelijk op toen de schapen kwamen.

Maar eerst gingen we nog even Oude Simon gedag zeggen.

Ik moest weer in het midden. Het was op de achterbank veel krapper dan op de heenweg. Ik denk dat Hobbel gegroeid was in de vakantie. En er lagen allemaal tassen tussen de achter- en de voorbank, waar we met onze voeten op moesten zitten.

'Waar komen die nou vandaan?' vroeg Karel.

'Die pasten niet meer in het aanhangwagentje,' zei onze vader.

'Vuile kleren nemen kennelijk meer plek in dan schone,' zei onze moeder.

Er stond ook een doos vol potjes met kersenjam. Die had Eva allemaal gemaakt.

Dit was voor het eerst dat we van vakantie terugkwamen zonder dat ik Oude Simon op schoot had.

Ik dacht dat we in de auto zouden gaan slapen, maar we stopten bij hetzelfde hotel als waar we op de heenweg gelogeerd hadden. Dat dure hotel met die bedden waar je zo lekker op kon springen en waar onze moeder nooit meer heen wilde. Onze vader zei dat het nu niets kostte, dat het een soort beloning was omdat we geholpen hadden om Eva te vangen.

Daarom hoefden we deze keer ook helemaal niet lang te wachten bij de balie. Toen onze moeder zei wie we waren kwamen er meteen twee jongens in uniform aan om onze plastic tassen naar onze kamers te dragen. Die waren op de eerste etage en Karel, Hobbel en ik kregen samen een heel grote kamer met drie heel grote bedden, en onze eigen badkamer met twee wc's, een douche en een bubbelbad.

En 's avonds aten we in de eetzaal, aan een tafel met zo'n diamanten lamp erboven. We mochten zelf ons eten uitkiezen. Alles stond op een lange tafel waar je langs moest lopen met een bord. De mevrouw van de eetzaal zei iets tegen ons, maar dat verstonden wij natuurlijk niet. 'Ze zegt dat jullie alles mogen nemen wat je lekker vindt,' zei onze moeder. We begonnen met de toetjes. Ze hadden zoveel soorten toetjes dat we daarna niets anders meer lustten, maar dat gaf niks, zei onze vader. 'Alleen voor deze ene keer,' zei onze moeder.

Na het eten gingen we ons bubbelbad uitproberen met badschuim erin. Het stroomde wel een beetje over, maar dat gaf ook niks, zei onze vader. 'Dat dweilt het kamermeisje wel op,' zei onze moeder. Toen deed Karel snel de bubbelknop uit.

Die nacht droomde ik dat Eva onze kamer binnenkwam. Alleen was het ineens kamer 601. Ze had wel zes diamanten kettingen om haar hals en we sprongen samen op de bedden, Eva het hoogst, tot ze door het dakraampje naar buiten sprong en de lucht in schoot, steeds hoger en hoger, tot we alleen nog maar een glinsterend stipje zagen.

Voor we de volgende ochtend naar huis reden kregen we ontbijt op bed. Ik probeerde zo weinig mogelijk te kruimelen, want dat moest het kamermeisje natuurlijk ook opruimen.

In onze flat was een heleboel veranderd toen wij op vakantie waren: de melkboer was weer terug en Mike en Eddie waren verhuisd, samen met hun moeder en haar honden.

Gelukkig waren er ook dingen hetzelfde gebleven. Zodra onze vader het karretje had uitgeladen vertrok hij naar het Lab om te kijken hoe het met zijn krokodilletjes ging. Onze moeder ging meteen de was doen.

En de stortkoker was ook nog steeds stuk.

We zaten achter het muurtje in het trappenhuis, Karel, Hobbel en ik.

'Wat zullen we gaan doen?' vroeg Karel.

'Bief!' zei Hobbel. 'Bief Eva!'

Dus ik las voor de zoveelste keer de brief voor, die op de mat had gelegen toen we thuiskwamen. Het was een kleine grauwe envelop met een postzegel uit het Zuiden erop. Er zat een grauw papiertje in, dat wel een beetje leek op het wc-papier dat ze in het Zuiden hadden.

Lieve Hobbel, stond erboven met potlood.

'Eva lief,' zei Hobbel.

'Stil nou,' zei ik. Ik kan niet voorlezen als er steeds iemand doorheen kletst.

Elke ochtend als ik wakker word mis ik ons stapelbed. Wat was het gezellig met jou op één kamer! En wat hebben we samen leuk gespeeld met onze geheime knopendoos. Eigenlijk hadden wij tweetjes óók een soort geheime club, hè? Ik heb nu een klein kamertje voor mezelf, met een klein raampje hoog in de muur waardoor ik de wolken kan zien, en 's nachts de sterren en soms de maan. Ik moet hier nog een tijdje blijven, maar misschien mag ik volgend jaar naar Nederland. Kom je me dan eens opzoeken? Samen met je zussen en je vader en moeder? En neem je dan je eigen knopendoos mee? Ik ben de mijne kwijt.

Eva

'Laten we haar een brief terug sturen,' zei Karel. 'Met een potje kersenjam erbij. We hebben er toch genoeg.'

Toen ik de brief nog twee keer aan Hobbel had voorgelezen gingen we met onze moeder de bibliotheekboeken inleveren.

'Hebben jullie een fijne vakantie gehad?' vroeg de mevrouw van de bibliotheek.

We knikten allemaal.

Sommige dingen zijn nu eenmaal te ingewikkeld om uit te leggen.